花森小学校《はなもりしょうがっこう》 ある真夏《まなつ》の 放課後《ほうかご》――
ミーン ミン
真実《しんじつ》くーん スーパーで アイス買《か》って 帰《かえ》ろうよー
下校中《げこうちゅう》の 買《か》い食《ぐ》いは
学校《がっこう》のきまりに 反《はん》するよ 健太《けんた》くん
謎野真実《なぞのしんじつ》
ＩＱ《アイキュー》200の天才少年探偵《てんさいしょうねんたんてい》。「科学《かがく》で解《と》けないナゾはない」が信条《しんじょう》。6年《ねん》2組《くみ》。
一度《いちど》家《いえ》に 戻《もど》ったことに すればいいよ
えへへ
宮下健太《みやしたけんた》
不思議《ふしぎ》なことが大好《だいす》き。勉強《べんきょう》もスポーツも中《ちゅう》ぐらいのミスター平均点《へいきんてん》。6年《ねん》2組《くみ》。
謎野《なぞの》――!!
うわ―― ハマセーン!?
もうバレた!?
浜田先生《はまだせんせい》
6年生《ねんせい》の学年主任《がくねんしゅにん》。あだ名《な》は「ハマセン」。

今日《きょう》の依頼人《いらいにん》は浜田先生《はまだせんせい》よ
助《たす》けてくれ呪《のろ》いの手紙《てがみ》が届《とど》いたんだ
青井美希《あおいみき》
花森小学校新聞部部長《はなもりしょうがっこうしんぶんぶぶちょう》でジャーナリスト志望《しぼう》。宮下健太《みやしたけんた》の幼《おさな》なじみ。6年《ねん》1組《くみ》。
呪《のろ》いの手紙《てがみ》!?
これだ……
えっ? 何《なに》も書《か》いてないけど……
そうなんだ 朝《あさ》見《み》たときは文字《もじ》があったのに消《き》えちまったんだ
どんな内容《ないよう》でしたか?

呪《のろ》い殺《ころ》す——って…
ただのいたずらだと思《おも》って気《き》にしないようにしてたんだが…
ええ怖《こわ》い 浜田先生《はまだせんせい》もこんなふうに消《け》されちゃうの
さよなら浜田先生《はまだせんせい》
おい やめて
——先生《せんせい》
この紙《かみ》ずいぶん熱《あつ》くなっていますが今《いま》までどこに?
ああ 今朝《けさ》職員室《しょくいんしつ》の机《つくえ》の上《うえ》にあって…怖《こわ》かったから離《はな》れた窓際《まどぎわ》のラックの上《うえ》に…

…なるほど
まあ まずは文字《もじ》を復活《ふっかつ》させましょう
理科準備室《りかじゅんびしつ》
保冷剤《ほれいざい》？冷凍庫《れいとうこ》で凍《こお》ってるよ
どうぞ
大前先生《おおまえせんせい》
真実《しんじつ》と健太《けんた》のクラス担任《たんにん》。理科《りか》クラブの顧問《こもん》。
その紙《かみ》を冷《ひ》やすの？
ああ たぶん これで…
ホントだ！文字《もじ》が出《で》てきた
ころす

ねえ これって こすると消《け》せる ボールペンで 書《か》いたみたい
当《あ》たり
わたしも 持《も》ってる
−10℃
呪
呪
60℃
60℃《ど》以上《いじょう》で 無色《むしょく》になって マイナス10℃《ど》以下《いか》で 色《いろ》が復活《ふっかつ》する
そんなインクの性質《せいしつ》を 利用《りよう》したのが こすった摩擦熱《まさつねつ》で 消《け》せるボールペンだ
COOL
−16℃
わかった—— 窓際《まどぎわ》の直射日光《ちょくしゃにっこう》で 自然《しぜん》に熱《あつ》くなって 文字《もじ》が消《き》えてたんだ
今日《きょう》 超暑《ちょうあつ》いもん
なんだなんだ おまえたちは 冷静《れいせい》だな
のろい ころす… この横《よこ》の「り」は 何《なん》だ?
り
ころ
のろ
あれっ
それ ぼくが 職員室《しょくいんしつ》で メモしておいた 紙《かみ》ですね

「残り《のこ》33椅子《いす》」
明日《あす》の講演会用《こうえんかいよう》に体育館《たいいくかん》に椅子《いす》を運《はこ》ばないといけないんですよ
ふ〜
り
ころす
のろい
おや？みんな 手伝《てつだ》ってくださる!?
やったー
――ハイ！本日《ほんじつ》の怪奇事件《かいきじけん》ファイルは
呪《のろ》われたハマセン!? 明《あ》かされた犯人《はんにん》に一同大翻弄《いちどうだいほんろう》…！ 今回《こんかい》も盛《も》り上《あ》げていくわよ！
いやあ たいへんな事件《じけん》でしたね――
お手伝《てつだ》いのお礼《れい》にもらった

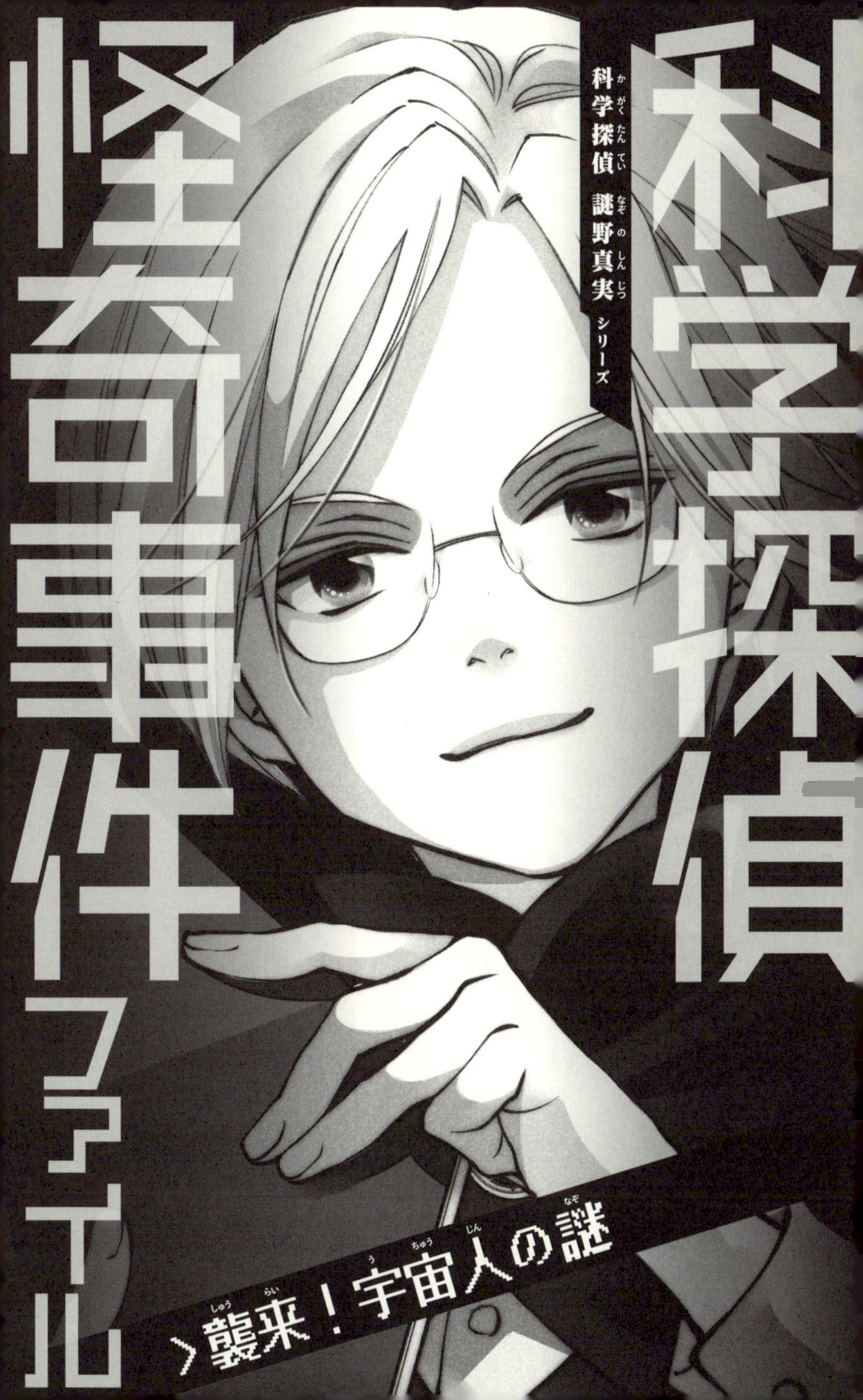
科学探偵
科《か》学《がく》探《たん》偵《てい》　謎《なぞ》野《の》真《しん》実《じつ》シリーズ
怪奇事件ファイル
襲《しゅう》来《らい》！宇《う》宙《ちゅう》人《じん》の謎《なぞ》

もくじ

怪奇事件《かいきじけん》ファイル 1

ドッペルゲンガー先生《せんせい》

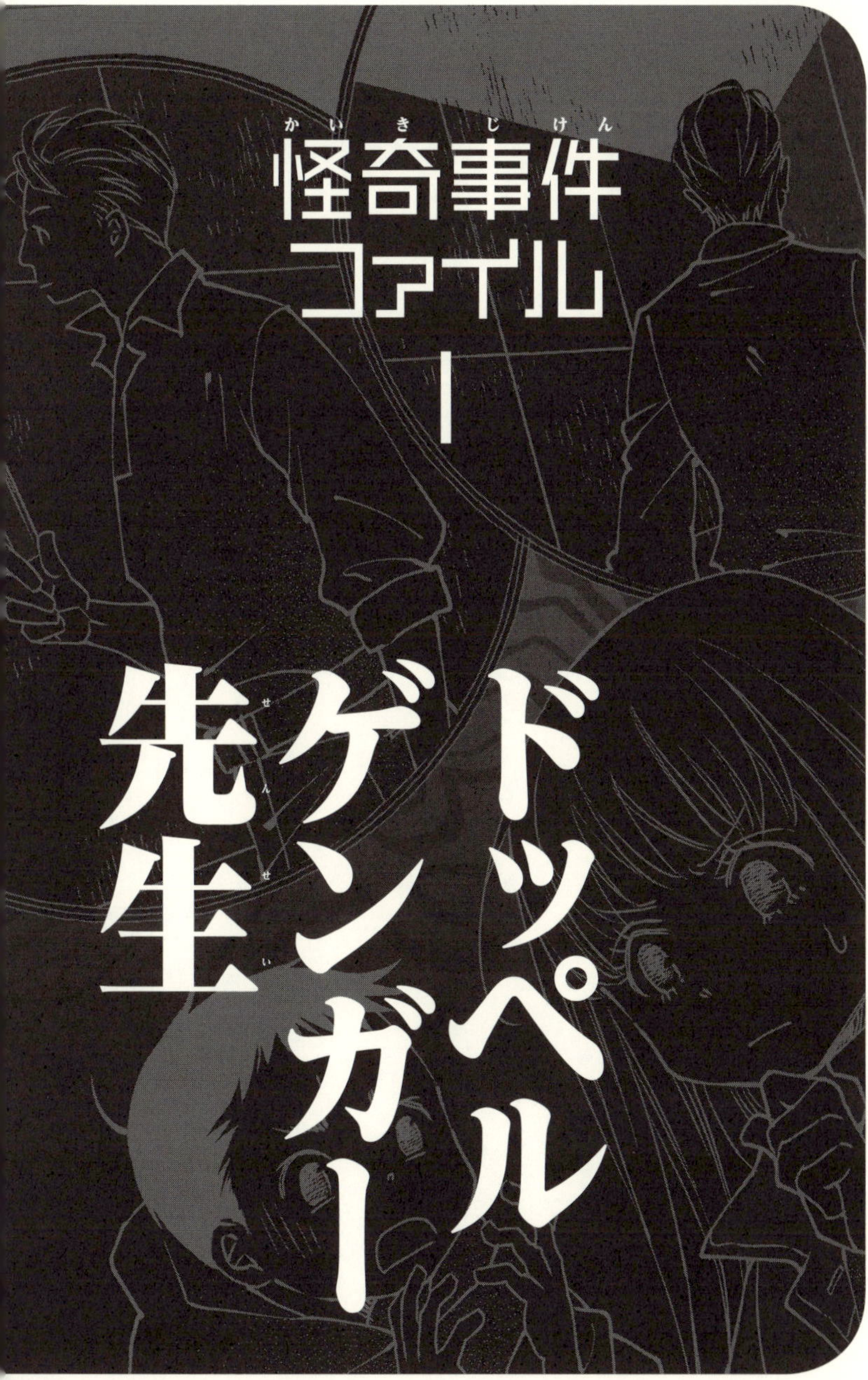

「ねえねえ、真実《しんじつ》くん。ぼく、高井先生《たかいせんせい》を目《め》の前《まえ》で見《み》ちゃったよ」

昼休《ひるやす》みの教室《きょうしつ》。宮下健太《みやしたけんた》は廊下《ろうか》から戻《もど》ってくるなり、自分《じぶん》の席《せき》で小説《しょうせつ》を読《よ》んでいた謎《なぞ》野真実《のしんじつ》のもとへやってきた。

高井先生《たかいせんせい》とは、産休《さんきゅう》になった先生《せんせい》の代《か》わりに今週《こんしゅう》から花森小学校《はなもりしょうがっこう》で教《おし》えることになった代理《だいり》の先生《せんせい》である。

「高井先生《たかいせんせい》って、ホントにスカイツリーみたいだったよ」

高井先生《たかいせんせい》は学生時代《がくせいじだい》にバレーボールをやっていたとかで、身長《しんちょう》が2メートルもあった。いつも白《しろ》いシャツに白《しろ》いズボンをはいていて、みんなはスカイツリーみたいだと言《い》っていたのだ。

「真実《しんじつ》くんも見《み》にいってみる？」

健太《けんた》はうれしそうに尋《たず》ねるが、真実《しんじつ》は首《くび》を小《ちい》さく横《よこ》に振《ふ》った。

「悪《わる》いけど、ぼくは小説《しょうせつ》の続《つづ》きのほうが気《き》になるかな」

真実《しんじつ》はそう言《い》うと、ふたたび小説《しょうせつ》に目《め》を落《お》とした。

夕方《ゆうがた》。健太《けんた》はおつかいを頼《たの》まれ、道路《どうろ》を歩《ある》いていた。

あたりはすでにうす暗《ぐら》くなっている。

(実際《じっさい》に見《み》ると、ホントすごいんだけどなあ)

健太《けんた》は今《いま》まで身長《しんちょう》が2メートルもある人《ひと》を見《み》たことがなかった。高井先生《たかいせんせい》を目《め》の前《まえ》で見《み》たとき、その迫力《はくりょく》に思《おも》わず「わあ～」と声《こえ》をもらしたほどだ。

(真実《しんじつ》くんにもその感動《かんどう》を味《あじ》わってほしかったのに)

健太《けんた》は道路《どうろ》の角《かど》を曲《ま》がりながら、そんなことを思《おも》っていた。

そのとき、前方《ぜんぽう》のうす暗《ぐら》い路地《ろじ》に、高井先生《たかいせんせい》が立《た》っているのを見《み》つけた。

高井先生《たかいせんせい》は手《て》にスマホを持《も》って、あちこち写真《しゃしん》を撮《と》っている。

(何《なに》をしてるのかな?)

健太《けんた》は高井先生《たかいせんせい》のそばへ行《い》こうとして、思《おも》わず立《た》ち止《ど》まった。

なんと、高井先生《たかいせんせい》から少《すこ》し離《はな》れた場所《ばしょ》に、白《しろ》いシャツと白《しろ》いズボン姿《すがた》の、「もう1人《ひとり》の高井先生《たかいせんせい》」が立《た》っていた。

その人《ひと》も高井先生《たかいせんせい》と同《おな》じぐらいの背《せ》の高《たか》さに見《み》えた。

「高井先生《たかいせんせい》が2人《ふたり》いる？」

健太《けんた》は目《め》をこする。

そしてふたたび路地《ろじ》の奥《おく》にいるもう1人《ひとり》の高井先生《たかいせんせい》のほうを見《み》た。しかし、そこにはすでにだれもいなかった。

もう1人《ひとり》の高井先生《たかいせんせい》は、けむりのように消《き》えてしまったのだ。


「真実《しんじつ》くん、たいへんなことが起《お》きたよ！」

翌日《よくじつ》。健太《けんた》は教室《きょうしつ》に飛《と》びこんでくるなり、真実《しんじつ》に言《い》った。

「朝《あさ》からどうしたんだい？」

「どうしたもこうしたもないよ。ぼく、とんでもないものを見《み》ちゃったんだ！　高井先《たかいせん》生《せい》の分身《ぶんしん》だよ」

健太《けんた》は、昨日《きのう》2人《ふたり》の高井先生《たかいせんせい》を見《み》たことを真実《しんじつ》に話《はな》した。

「あんなに背《せ》の高《たか》い人《ひと》は、このあたりには高井先生《たかいせんせい》しかいないよ！　あれは怪奇現象《かいきげんしょう》だったんだ！」

しかし、必死《ひっし》でうったえる健太《けんた》に対《たい》し、真実《しんじつ》は平然《へいぜん》としていた。

「この町《まち》に高井先生《たかいせんせい》ぐらい背《せ》が高《たか》い人《ひと》がいないとは言《い》い切《き》れないよ。高井先生《たかいせんせい》がふたごという可能性《かのうせい》もあるしね」

真実《しんじつ》はそう言《い》うと、1時間目《じかんめ》の授業《じゅぎょう》の用意《ようい》を始《はじ》めた。

「ふたごの兄弟《きょうだい》？　確《たし》かにそれもありえるかも……」

健太《けんた》はうなずきながらも、怪奇現象《かいきげんしょう》であるという気持《きも》ちも捨《す》てきれなかった。


「それは絶対《ぜったい》、怪奇現象《かいきげんしょう》で間違《まちが》いないわ」

昼休《ひるやす》み。困《こま》った健太《けんた》は、青井美希《あおいみき》にも相談《そうだん》してみた。

「昨日《きのう》、学校新聞《がっこうしんぶん》で紹介《しょうかい》しようと思《おも》って、高井先生《たかいせんせい》に取材《しゅざい》してたの。そのとき、先生《せんせい》、一人《ひとり》っ子《こ》って言《い》ってたもん」

「それって、ふたごの兄弟《きょうだい》はいないってことだよね？」

真実《しんじつ》は高井先生《たかいせんせい》と同《おな》じぐらいの背《せ》の人《ひと》がいたかもしれないと言《い》っていたが、2メートルも身長《しんちょう》がある人《ひと》が町《まち》に何人《なんにん》もいるとは思《おも》えなかった。

美希《みき》は急《きゅう》に神妙《しんみょう》な顔《かお》つきになった。

「健太《けんた》くんが見《み》たのは、もしかしたら『ドッペルゲンガー』かも」

「それって確《たし》か……」

健太《けんた》は怪奇現象《かいきげんしょう》の本《ほん》で読《よ》んだことがあった。ドッペルゲンガーとは、もう1人《ひとり》の自分《じぶん》が現《あらわ》れる怪奇現象《かいきげんしょう》である。

「作家《さっか》の芥川龍之介《あくたがわりゅうのすけ》は、もう1人《ひとり》の自分《じぶん》を見《み》たことがあると言《い》われているわ。そして、自分《じぶん》のドッペルゲンガーを見《み》た人《ひと》は死《し》んでしまうらしいの」

「ええええ!?」

「ドッペルゲンガーが出《で》るなんて、高井先生《たかいせんせい》に何《なに》か危険《きけん》がせまってるのかもしれないわね」

このままでは、高井先生《たかいせんせい》がたいへんなことになってしまうかもしれない。

「ええっと、宮下《みやした》くん、これはいったい、どういうことかな?」

放課後《ほうかご》。健太《けんた》は高井先生《たかいせんせい》のそばにいた。

健太《けんた》は、キョロキョロしながらあたりを警戒《けいかい》して、高井先生《たかいせんせい》を守《まも》るように立《た》ってい
る。
「先生《せんせい》、ぼくに任《まか》せてください！　絶対《ぜったい》、先生《せんせい》を守《まも》ってみせますから！」
健太《けんた》は、美希《みき》からドッペルゲンガーのことを聞《き》かされて、高井先生《たかいせんせい》を守《まも》ろうと思《おも》った
のだ。
「宮下《みやした》くん、ぼくはこれから町《まち》を散歩《さんぽ》しようと思《おも》っているんだけど」
「ぼくもついていきます！　安心《あんしん》して散歩《さんぽ》してください！」
高井先生《たかいせんせい》は、目《め》の前《まえ》で手《て》を広《ひろ》げてガードする健太《けんた》を見《み》て、首《くび》をかしげながらも、とり
あえず散歩《さんぽ》に出《で》かけることにした。

「先生《せんせい》はね、この町《まち》のこと、もっと知《し》りたいと思《おも》っているんだ」

散歩《さんぽ》をしながら、高井先生《たかいせんせい》は健太《けんた》に言《い》った。

「花森小学校《はなもりしょうがっこう》の先生《せんせい》になったから、早《はや》くみんなと仲良《なかよ》くなりたいしね」

昨日《きのう》、健太《けんた》が路地《ろじ》で見《み》かけたときも、散歩《さんぽ》の途中《とちゅう》だったようだ。

（高井先生《たかいせんせい》って、なんか、すごくいい先生《せんせい》だよね……）

高井先生《たかいせんせい》は学校《がっこう》に来《き》てまだ数日《すうじつ》しか経《た》っていないが、みんなからしたわれていた。健《けん》太《た》はその理由《りゆう》がわかったような気《き》がした。

（そんな先生《せんせい》を不幸《ふこう》な目《め》にあわせちゃダメだよね！）

健太《けんた》は使命感《しめいかん》に燃《も》え、何《なに》があっても先生《せんせい》を守《まも》らなければと改《あらた》めて思《おも》った。

そのとき、スマホで町《まち》の写真《しゃしん》を撮《と》っていた高井先生《たかいせんせい》が立《た》ち止《ど》まった。

「ペンキをぬってるみたいだねえ」

前方《ぜんぽう》を見《み》ると、ちょうど昨日《きのう》、先生《せんせい》のドッペルゲンガーを目撃《もくげき》したうす暗《ぐら》い路地《ろじ》があった。その路地《ろじ》の塀《へい》を、業者《ぎょうしゃ》のお兄《にい》さんがペンキでぬっていたのだ。

「あれ？　なんだか昨日《きのう》と少《すこ》し感《かん》じが違《ちが》う気《き》がするけど……」

「ああ、塀《へい》をペンキでぬりかえたせいで印象《いんしょう》が変《か》わったんだね。先生《せんせい》は前《まえ》の塀《へい》の模様《もよう》、けっこう気《き》に入《い》ってたんだけどねえ」

高井先生《たかいせんせい》はそう言《い》うと、ぬりかえられた塀《へい》の写真《しゃしん》を撮《と》りはじめた。

「前《まえ》の塀《へい》かあ」

健太《けんた》は、これまでの塀《へい》がどんな模様《もよう》だったのか、よく思《おも》い出《だ》せなかった。すると、そんなうす暗《ぐら》い路地《ろじ》の向《む》こうから、誰《だれ》かが歩《ある》いてきた。それを見《み》て、健太《けんた》は目《め》を見開《みひら》く。

白《しろ》いシャツに白《しろ》いズボンの男《おとこ》の人《ひと》――、もう1人《ひとり》の高井先生《たかいせんせい》だ。

（出《で》た～～！　ドッペルゲンガーだ!!）

健太《けんた》は高井先生《たかいせんせい》を守《まも》るようにして立《た》った。だが、何《なに》かがおかしい。

もう1人《ひとり》の高井先生《たかいせんせい》は、背《せ》がぜんぜん高《たか》くなかったのだ。

（どういうことなの？）

健太《けんた》は目《め》をパチクリさせる。

もう1人《ひとり》の高井先生《たかいせんせい》は、こちらに来《く》ることなく、途中《とちゅう》で路地《ろじ》の角《かど》を曲《ま》がった。

「宮下《みやした》くん、どうしたんだい？」

写真《しゃしん》を撮《と》っていた高井先生《たかいせんせい》が、健太《けんた》のほうを見《み》た。

「今《いま》、先生《せんせい》のドッペルゲンガーがいたんです！」

「ドッペルゲンガー？」

しかしすでに路地《ろじ》の角《かど》を曲《ま》がったあとだ。健太《けんた》はあわてて、もう1人《ひとり》の高井先生《たかいせんせい》を追《お》って角《かど》へと走《はし》ると、その姿《すがた》を確認《かくにん》しようとした。

「えっ？」

だが、もう1人《ひとり》の高井先生《たかいせんせい》の姿《すがた》がない。次《つぎ》の角《かど》まではかなり距離《きょり》がある。まわりには家《いえ》しかない。それなのに、もう1人《ひとり》の高井先生《たかいせんせい》は、昨日《きのう》と同《おな》じように、けむりのように消《き》えてしまったのだ。

健太《けんた》はぼう然《ぜん》とその場《ば》に立《た》ちつくすのだった。

翌日《よくじつ》。健太《けんた》は学校《がっこう》へ行《い》くと、美希《みき》にそのことを話《はな》した。

すると、美希《みき》は険《けわ》しい表情《ひょうじょう》で健太《けんた》のほうを見《み》た。

「もしかすると、このままじゃ健太《けんた》くんも危険《きけん》かも」

「どういうこと？」

「だって、ドッペルゲンガーを2回《かい》も見《み》ちゃったんでしょ。これはネットで見《み》つけたうわさだけど、1回《かい》だけだとドッペルゲンガーが現《あらわ》れた本人《ほんにん》が死《し》ぬけど、2回見《かいみ》たら、今《こん》度《ど》はそれを見《み》た人《ひと》も死《し》んじゃうらしいの」

「えええ？　それってぼくが死《し》んじゃうってこと？　そんなのいやだ!!」

ちょうどそのとき、真実《しんじつ》が登校《とうこう》してきた。

「し・ん・じ・つくうぅぅぅぅん！」

健太《けんた》は真実《しんじつ》にしがみつくと、事情《じじょう》を話《はな》し、必死《ひっし》に助《たす》けを求《もと》めた。

「どうしよう！　ぼくも死《し》んじゃうかも！　そんなのイヤだよおお」

真実《しんじつ》はそんな健太《けんた》を見《み》て、あきれながらもほほえんだ。

「しかたがない。それじゃあぼくが調《しら》べてあげるよ」


放課後《ほうかご》。真実《しんじつ》は健太《けんた》と美希《みき》とともに路地《ろじ》にやってきて、ドッペルゲンガーの謎《なぞ》を調《しら》べることにした。

「ここの塀《へい》の前《まえ》に、2人《ふたり》の高井先生《たかいせんせい》が立《た》ってたんだ」

「なるほど、だけど特《とく》に変《か》わったところはなさそうだね」

「じゃあ、健太《けんた》くんが見《み》たのはやっぱりドッペルゲンガーだったってこと？」

「そんな！　ひいい」

健太《けんた》は美希《みき》の言葉《ことば》に震《ふる》えるが、真実《しんじつ》は首《くび》を横《よこ》に小《ちい》さく振《ふ》った。

「ドッペルゲンガーなんてありえないと思《おも》うよ」

そのとき、健太《けんた》の横《よこ》に大《おお》きな影《かげ》が現《あらわ》れた。その影《かげ》のほうを見《み》ると、そこには、身長《しんちょう》2メートルの高井先生《たかいせんせい》が立《た》っていた。

健太《けんた》は一瞬《いっしゅん》、ドッペルゲンガーかと思《おも》って身構《みがま》えたが、本物《ほんもの》の高井先生《たかいせんせい》のようだった。

「いやあ、昨日《きのう》、宮下《みやした》くんが言《い》ってたことが気《き》になってね。それで来《き》てみたんだよ」

「そうだったんですね……」

「だけど、やっぱりもう1人《ひとり》のぼくはいないようだねえ。あっ、塀《へい》もぬり終《お》わったみたいだね」

高井先生《たかいせんせい》は新《あたら》しい模様《もよう》になった塀《へい》のほうを見《み》てそう言《い》った。

すると、真実《しんじつ》が口《くち》を開《ひら》いた。

「ぬり終《お》わったというのは？」

「ああ、昨日《きのう》、塀《へい》をぬりかえていたんだよ。ぼくはその前《まえ》の模様《もよう》のほうが好《す》きだったけどね。格子状《こうしじょう》のすっきりした模様《もよう》だったよ」

高井先生《たかいせんせい》は、おとといスマホで撮《と》った、以前《いぜん》の状態《じょうたい》の塀《へい》の写真《しゃしん》を真実《しんじつ》に見《み》せた。

「これは……」

真実《しんじつ》はハッとする。そして健太《けんた》のほうを見《み》た。

「健太《けんた》くん、この塀《へい》の前《まえ》に先生《せんせい》が立《た》っていたとき、少《すこ》し離《はな》れた場所《ばしょ》に、もう1人《ひとり》の先生《せんせい》が立《た》っていたんだよね？」

「え、あ、うん。そうだけど」

「なるほど、そういうことか」

真実《しんじつ》は、少《すこ》しほほえむと、人差《ひとさ》し指《ゆび》で眼鏡《めがね》をクイッと上《あ》げた。

「この世《よ》に科学《かがく》で解《と》けないナゾはない。ヒントは、ぬりかえる前《まえ》の塀《へい》の模様《もよう》と、健太《けんた》くんが見《み》たときの、高井先生《たかいせんせい》によく似《に》た人《ひと》の立《た》ち位置《いち》だよ」

解決編《かいけつへん》

「健太《けんた》くんが見《み》たのは、『ポンゾ錯視《さくし》』だったんだ」

「何《なに》それ？」

「錯視《さくし》の１つで、人間《にんげん》は物体《ぶったい》の大《おお》きさをまわりの景色《けしき》や建物《たてもの》を基本《きほん》にして決《き》めていて、ぬりかえる前《まえ》の塀《へい》のように、２本《ほん》の線《せん》で奥行《おくゆ》きがあるようになっていると、脳《のう》が誤作動《ごさどう》を起《お》こして、奥《おく》にある物体《ぶったい》が大《おお》きく見《み》えてしまうんだ」

「なるほど～」

高井先生《たかいせんせい》は、スマホの画面《がめん》に映《うつ》っている、以前《いぜん》の塀《へい》の模様《もよう》を見《み》た。

塀《へい》は線《せん》が入《はい》った格子状《こうしじょう》になっていて、奥《おく》まっているように見《み》えるのだ。

「高井先生《たかいせんせい》と似《に》た服《ふく》を着《き》たふつうの背《せ》の高《たか》さの人《ひと》が、塀《へい》の模様《もよう》のせいで背《せ》が高《たか》く見《み》えた。それが健《けん》太《た》くんの見《み》たドッペルゲンガーの正体《しょうたい》だよ」

「そっか、そういうことだったんだね」

健太《けんた》はドッペルゲンガーではないことがわかり、ホッとする。

だがそのとき、1つ疑問《ぎもん》をいだいた。

「だけど、路地《ろじ》を曲《ま》がってすぐ姿《すがた》が消《き》えたんだよ。やっぱりこの世《よ》の人《ひと》じゃないのかも……」

健太《けんた》は、ゾッとした。

そのとき、路地《ろじ》から1人《ひとり》の男《おとこ》の人《ひと》が現《あらわ》れた。白《しろ》いシャツに白《しろ》いズボンの、もう1人《ひとり》の高井先生《たかいせんせい》

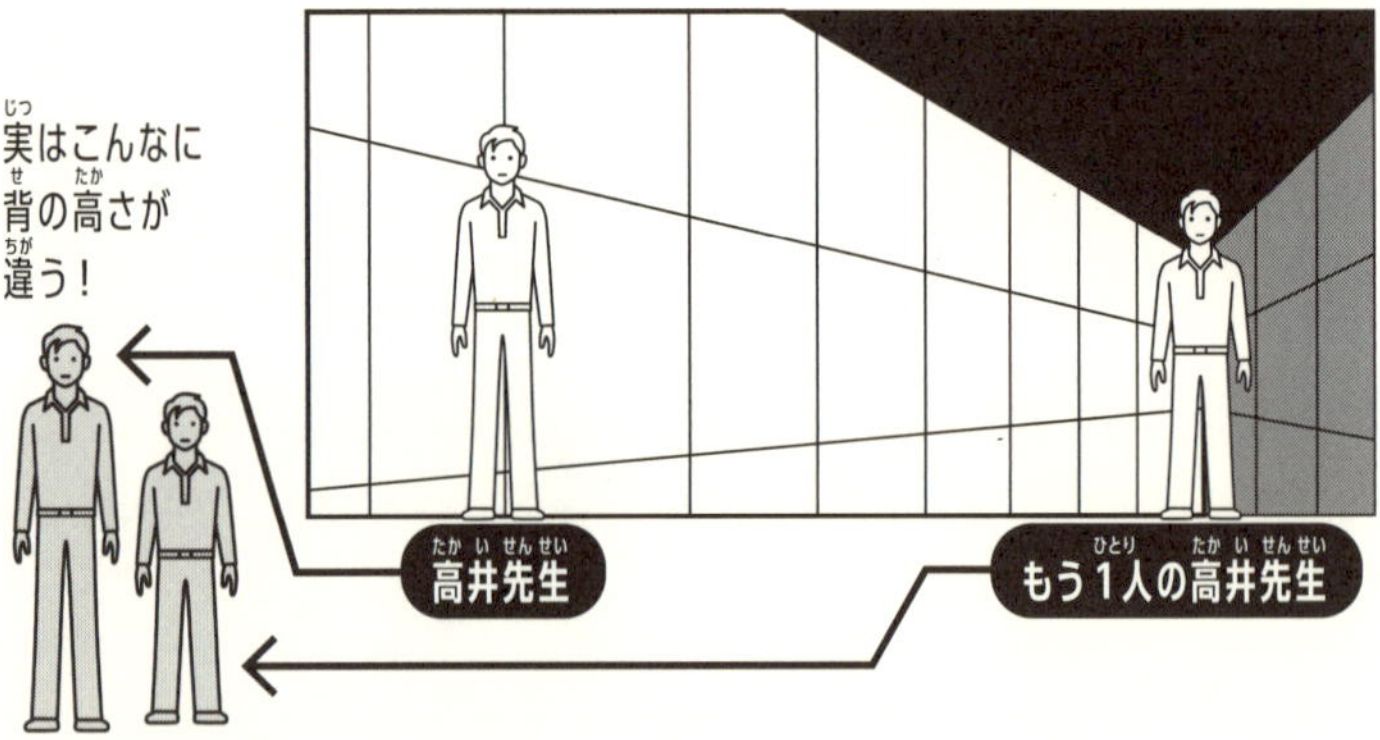

だ。健太《けんた》たちはあわててその人《ひと》のそばにかけ寄《よ》った。

近《ちか》くで見《み》ると、顔《かお》の雰囲気《ふんいき》は少《すこ》し似《に》ていたが、まったくの別人《べつじん》だった。服装《ふくそう》が特徴《とくちょう》的《てき》だったこともあって、健太《けんた》はてっきり高井先生《たかいせんせい》だと思《おも》いこんでしまったようだ。

そんな男《おとこ》の人《ひと》に、真実《しんじつ》が声《こえ》をかけた。

「すいません。もしかして、おすまいはこの近《ちか》くですか？」

「え？　ああ、路地《ろじ》に入《はい》ってすぐのところの家《いえ》に住《す》んでるよ」

男《おとこ》の人《ひと》はそう言《い》うと去《さ》っていった。

真実《しんじつ》は健太《けんた》のほうを見《み》た。

「どうやら、あの人《ひと》はけむりのように消《き》えたんじゃなくて、単《たん》に路地《ろじ》の角《かど》を曲《ま》がったところにある自分《じぶん》の家《いえ》に入《はい》っただけだったようだね」

「ええっと、それってつまり、ぼくが早《はや》とちりしただけってこと？」

その言葉《ことば》に、真実《しんじつ》は大《おお》きくうなずく。

ホッとしてへなへなと座《すわ》りこむ健太《けんた》を見《み》て、一同《いちどう》笑《わら》うのだった。

「ドッペルゲンガー先生《せんせい》」終《お》わり

脳《のう》がだまされる「錯視《さくし》」

お話《はなし》で紹介《しょうかい》した「ポンゾ錯視《さくし》」以《い》外《がい》にも、錯視《さくし》には有名《ゆうめい》なものがたくさんあります。その一部《いちぶ》を紹介《しょうかい》しましょう。

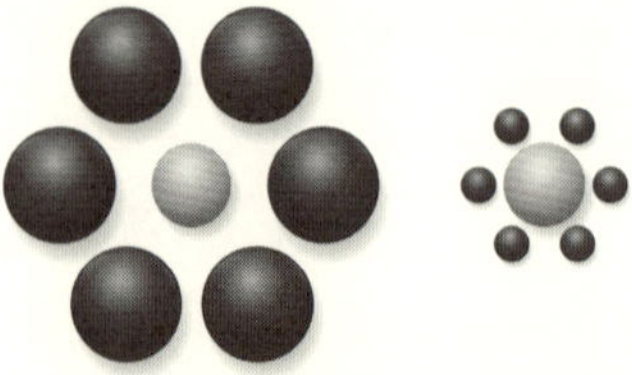

真《ま》ん中《なか》の円《えん》、どっちが大《おお》きい?

真《ま》ん中《なか》の円《えん》は、右《みぎ》のほうが大《おお》きく見《み》えるが、実《じつ》は、どちらもまったく同《おな》じ大《おお》きさだ。まわりの円《えん》の大《おお》きさの違《ちが》いによる錯視《さくし》だ［エビングハウス錯視《さくし》］。

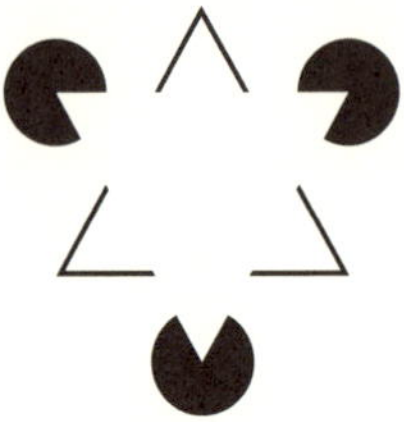

三角形《さんかくけい》はいくつ?

黒《くろ》い枠線《わくせん》の上向《うわむ》きの三角形《さんかくけい》に、下向《したむ》きの白《しろ》い三角形《さんかくけい》がのっているように見《み》えるが、よく見《み》ると、どこにも三角形《さんかくけい》はない［カニッツアの三角形《さんかくけい》］。

水平《すいへい》な線《せん》はある?

右《みぎ》の図《ず》の横線《よこせん》は、ななめ下《した》やななめ上《うえ》に傾《かたむ》いてガタガタしているように見《み》えるだろう。しかし、実《じつ》は、すべての横線《よこせん》は水平《すいへい》で、互《たが》いに平行《へいこう》に並《なら》んでいる［カフェウォール錯視《さくし》］。

「脳《のう》は賢《かしこ》い」。だから、だまされる！

右《みぎ》の絵《え》の１と２のマス目《め》は、実《じつ》はまったく同《おな》じ色《いろ》（ほかのマス目《め》を隠《かく》して、１と２のマス目《め》だけを見《み》てみよう）。でも、１のほうがずっと明《あか》るい色《いろ》に見《み》える。これは、脳《のう》が「１は影《かげ》になった場所《ばしょ》にある」「チェック模様《もよう》から、１は明《あか》るい色《いろ》の場所《ばしょ》である」ととらえ、本来《ほんらい》は（影《かげ》になっていなければ）、１はもっと明《あか》るいはずと無意識《むいしき》に判断《はんだん》するので、明《あか》るく見《み》えてしまうためだ。

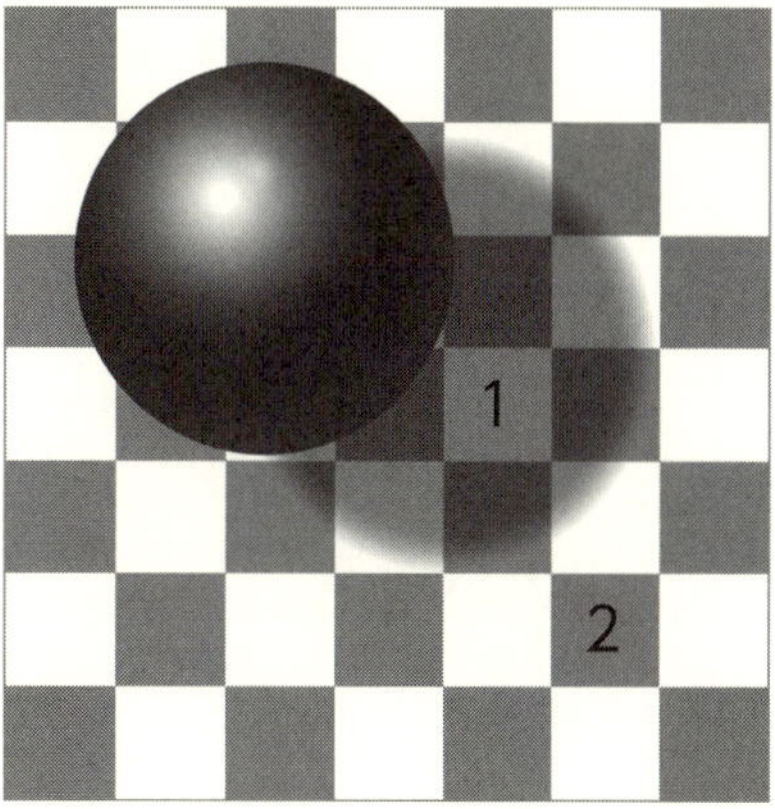
1
2

「目《め》で見《み》えた」と
思《おも》っているものは、
目《め》から入《はい》った情報《じょうほう》を、
脳《のう》が組《く》み立《た》てた
世界《せかい》なんだよ

※最近《さいきん》の研究《けんきゅう》では、錯視《さくし》は脳《のう》で起《お》こるのではなく、脳《のう》に到達《とうたつ》する前《まえ》の神経回《しんけいかい》路《ろ》で起《お》こっているという説《せつ》もある。

ホーム行き
to Platform

錯視《さくし》を利用《りよう》した標識《ひょうしき》

錯視《さくし》を利用《りよう》して、床《ゆか》から飛《と》び出《で》たりへこんだりしているように見《み》せる標識《ひょうしき》もつくられている。実際《じっさい》は、床《ゆか》に描《えが》かれているだけなので、通行《つうこう》のじゃまにならず、目立《めだ》たせることができる。

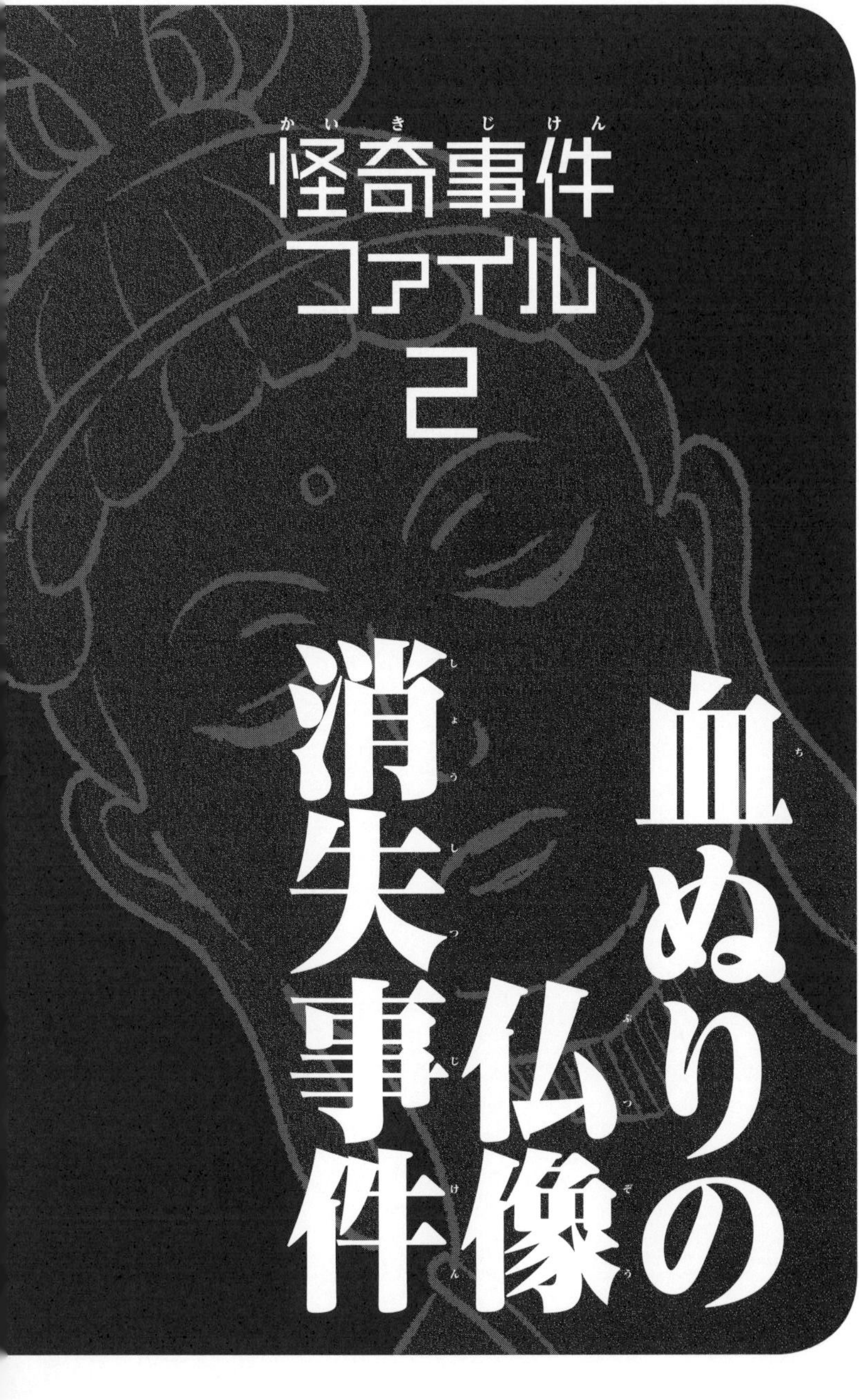

怪奇事件《かいきじけん》ファイル2

血《ち》ぬりの仏像《ぶつぞう》消失事件《しょうしつじけん》

「どこも大《おお》きなお屋敷《やしき》ばかりだなあ」

宮下健太《みやしたけんた》は、謎野真実《なぞのしんじつ》や青井美希《あおいみき》と、高級住宅街《こうきゅうじゅうたくがい》を訪《おとず》れていた。

住宅街《じゅうたくがい》でひときわ大《おお》きな洋館《ようかん》の玄関先《げんかんさき》に、１人《ひとり》の男性《だんせい》が立《た》っていた。

その人《ひと》は、真実《しんじつ》たちを見《み》つけると、細《ほそ》い目《め》で笑《わら》った。年《とし》は40代半《だいなか》ば、ジャケット姿《すがた》で長髪《ちょうはつ》をうしろで束《たば》ねている。

今回《こんかい》の依頼主《いらいぬし》、有名《ゆうめい》な美術商《びじゅつしょう》の古金集太郎《ふるがねしゅうたろう》だ。

「はじめまして、かわいい探偵《たんてい》さんたち。さあ中《なか》へどうぞ」

真実《しんじつ》たちが通《とお》された広《ひろ》いリビングには、世界中《せかいじゅう》から集《あつ》められた貴重《きちょう》な絵画《かいが》やオブジェが並《なら》ぶ。それらは部屋《へや》に差《さ》しこむ夕日《ゆうひ》に照《て》らされ、輝《かがや》いて見《み》えた。

「この建物《たてもの》ね、１９５０年代《ねんだい》に建《た》てられた、アメリカの大物政治家《おおものせいじか》の別荘《べっそう》だったんだって」

美希《みき》は、小声《こごえ》で健太《けんた》に教《おし》えた。

「へえ、だから立派《りっぱ》なんだ。あ、この置物《おきもの》変《か》わってるね。黒《くろ》いカエルだ」

「健太《けんた》くん、よく見《み》て。これ緑色《みどりいろ》でしょ」

「あれ？　ホントだ、美希《みき》ちゃん。よく見《み》ると緑色《みどりいろ》だ。不思議《ふしぎ》だなあ」

真実《しんじつ》が、「夕日《ゆうひ》の赤《あか》い光《ひかり》のせいで、黒《くろ》に見《み》えたんだよ。物《もの》は当《あ》たった光《ひかり》の色《いろ》によって、違《ちが》う色《いろ》に見《み》えるからね」と、健太《けんた》に説明《せつめい》した。

「そんなものより、すごいものをお見《み》せしよう」

古金《ふるがね》はそう言《い》って、真実《しんじつ》たちを別《べつ》の部屋《へや》に案内《あんない》した。

その部屋《へや》はとてもうす暗《ぐら》く、真《ま》ん中《なか》に、大《おお》きなロッカーぐらいのサイズの箱《はこ》がおごそかな雰囲気《ふんいき》で設置《せっち》されていた。

箱《はこ》には小窓《こまど》があり、中《なか》が確認《かくにん》できるようになっている。

「ふだんは窓《まど》からのぞくだけだが、今回《こんかい》は特別《とくべつ》だ」

古金《ふるがね》は顔認証《かおにんしょう》でロックを解除《かいじょ》し、箱《はこ》の扉《とびら》を開《あ》けた。

健太《けんた》はハッと息《いき》をのむ。

「……うわあ、真《ま》っ赤《か》な仏像《ぶつぞう》だ！」

そこには、2メートルほどの大《おお》きさの赤色《あかいろ》の仏像《ぶつぞう》があった。

まるで血《ち》がぬられたような仏像《ぶつぞう》の姿《すがた》に、健太《けんた》は思《おも》わず顔《かお》をしかめた。

「なぜ、こんな暗《くら》いところに置《お》いているんですか？」

美希《みき》は不思議《ふしぎ》に思《おも》い、古金《ふるがね》に尋《たず》ねた。

「強《つよ》い照明《しょうめい》を当《あ》てると、仏像《ぶつぞう》が傷《いた》むんだ。それに、誰《だれ》にも触《ふ》れさせたくないからね。わたしの命《いのち》の次《つぎ》に大切《たいせつ》なものだ。今回《こんかい》、きみたちに依頼《いらい》したのは、この仏像《ぶつぞう》を盗《ぬす》むと犯行《はんこう》予告《よこく》が届《とど》いたからなんだ」

「え、犯行予告《はんこうよこく》!?」

健太《けんた》と美希《みき》は、同時《どうじ》に声《こえ》をあげた。

【本日《ほんじつ》　深夜《しんや》0時《じ》　仏像《ぶつぞう》をいただきに参上《さんじょう》する】

犯行予告《はんこうよこく》の手紙《てがみ》は、パソコンで打《う》たれていた。消印《けしいん》はこの町《まち》の郵便局《ゆうびんきょく》だった。

「これは、中国《ちゅうごく》の古《ふる》い仏像《ぶつぞう》でね。手《て》に入《い》れた者《もの》は富《とみ》や権力《けんりょく》を得《え》られるといわれ、昔《むかし》から権力者《けんりょくしゃ》たちが、この仏像《ぶつぞう》をめぐって血《ち》で血《ち》を洗《あら》う争《あらそ》いをして、いつしか血《ち》のような赤《あか》い色《いろ》になったという。手《て》にすると不幸《ふこう》になるといううわさもあるがね」

古金《ふるがね》はうっとりと仏像《ぶつぞう》を見《み》ながら、とうとうと語《かた》った。

「見《み》たまえ、まるで豊潤《ほうじゅん》なワインのような深《ふか》い赤色《あかいろ》！　権力者《けんりょくしゃ》たちの血《ち》と涙《なみだ》の結晶《けっしょう》だ。一方《いっぽう》で菩薩《ぼさつ》の慈悲深《じひぶか》いまなざし……戦《たたか》いと平和《へいわ》が混在《こんざい》した唯一無二《ゆいいつむに》の芸術《げいじゅつ》なんだよ、これは！」

「あの……そんなに大切《たいせつ》な仏像《ぶつぞう》なら、ぼくたちよりも警察《けいさつ》にお願《ねが》いしたほうが」

健太《けんた》は不安《ふあん》になって口《くち》をはさんだ。

「わたしは警察《けいさつ》がきらいでね。昔《むかし》、不審者《ふしんしゃ》と決《き》めつけられて、しつこく職務質問《しょくむしつもん》されたことがあってね。本当《ほんとう》に失礼《しつれい》なヤツらだよ」

古金《ふるがね》はいまいましそうに言《い》った。

「だから、ぜひきみたちに頼《たの》みたい。今晩《こんばん》、仏像《ぶつぞう》が盗《ぬす》まれないように守《まも》ってくれないか？　謎野《なぞの》くん、きみはたいへん評判《ひょうばん》が良《よ》いようなので、期待《きたい》しているよ」

健太《けんた》は、任《まか》せられた大役《たいやく》にドキドキした。

（ぼくらが、そんな大胆《だいたん》な犯人《はんにん》に対抗《たいこう》して、だいじな仏像《ぶつぞう》を守《まも》れるのかな？）

深夜《しんや》。真実《しんじつ》、健太《けんた》、美希《みき》の3人《にん》は、古金《ふるがね》に頼《たの》まれ、仏像《ぶつぞう》の置《お》かれた部屋《へや》で見張《みは》っていた。

仏像《ぶつぞう》の入《はい》った箱《はこ》の小窓《こまど》を懐中電灯《かいちゅうでんとう》で照《て》らすと、赤《あか》い仏像《ぶつぞう》の顔《かお》が見《み》える。箱《はこ》の扉《とびら》は古《ふる》金《がね》の顔認証《かおにんしょう》でロックされ、部屋《へや》の前《まえ》には警備員《けいびいん》が配備《はいび》されていた。

（こんなに厳重《げんじゅう》なら、ぼくらがいなくたって、だいじょうぶじゃないのかな？）

健太《けんた》は、そう思《おも》いながら眠気《ねむけ》をがまんしていたが、つい、うとうとしてしまい、

「ちょっと起《お》きてっ！」と、美希《みき》に肩《かた》をたたかれた。

「あ、ごめんごめん！　緊張《きんちょう》のあまり、寝《ね》ちゃった。テヘ」

「もう、緊張《きんちょう》で寝《ね》るって、どういうこと!?」

ついに深夜《しんや》0時《じ》になる。予告《よこく》の時間《じかん》が過《す》ぎたが、異変《いへん》は起《お》こらない。

「さすがにこれだけ警備《けいび》が厳重《げんじゅう》だから、犯人《はんにん》もあきらめたんだね」

そう言《い》って、健太《けんた》は懐中電灯《かいちゅうでんとう》を箱《はこ》の小窓《こまど》に当《あ》てて中《なか》を見《み》た。

「えっ、何《なん》で!?」

健太《けんた》は、驚《おどろ》いて叫《さけ》んだ。

「ない！　箱《はこ》の中《なか》の仏像《ぶつぞう》が消《き》えちゃった！」

健太《けんた》の言葉《ことば》に、美希《みき》もあわてて小窓《こまど》を懐中電灯《かいちゅうでんとう》で照《て》らす。

「ホントだ！　さっきまであったのに、どうして!?」

叫《さけ》び声《ごえ》を聞《き》き、かけつけた古金《ふるがね》は、くやしそうに顔《かお》をしかめて、「クソッ、やられたっ！」と、はき捨《す》てた。

（そんな……誰《だれ》も箱《はこ》に近《ちか》づいていないのに……）

健太《けんた》はあまりに驚《おどろ》いて、頭《あたま》の中《なか》が真《ま》っ白《しろ》になっていた。

「何《なん》てことだ……。犯人《はんにん》は、きっとまだ近《ちか》くにいるはずだ！」

古金《ふるがね》は、真実《しんじつ》たちに向《む》かって叫《さけ》んだ。

そのとき、あわててスタッフがかけこんできた。

「屋敷《やしき》の裏《うら》に、あやしいヤツらがいます!!」

「よし、追《お》いかけるぞ！」

古金《ふるがね》に追《お》い立《た》てられるように、健太《けんた》、美希《みき》、真実《しんじつ》も部屋《へや》から出《で》て、裏口《うらぐち》へと向《む》かった。

健太《けんた》はひざがガクガク震《ふる》えて力《ちから》が入《はい》らない。つるつるの大理石《だいりせき》の床《ゆか》をすべってころびそうになりながら、必死《ひっし》に屋敷《やしき》の裏《うら》へとやってきた。

すると、そこには1台《だい》のトラックが止《と》まっていた。気味《きみ》の悪《わる》いピエロの面《めん》をつけた男《おとこ》たちが、大《おお》きな荷物《にもつ》を荷台《にだい》にのせている。

「あれは仏像《ぶつぞう》だ！　取《と》り戻《もど》してくれ！」

古金《ふるがね》は、男《おとこ》たちの運《はこ》んでいる荷物《にもつ》を指《ゆび》さした。

男《おとこ》たちは、荷物《にもつ》を積《つ》み終《お》えると、トラックのエンジンをブロロッとかけ、走《はし》りだした。

「あきらめるな！　追《お》え!!　頼《たの》む、追《お》ってくれ！」

古金《ふるがね》は必死《ひっし》に叫《さけ》んだ。

（……トラックを追《お》うって……どうすれば？）

健太《けんた》がとまどっていると、古金《ふるがね》は一方《いっぽう》を指《ゆび》さした。

「あれを使《つか》えばいい」

裏口《うらぐち》には、ちょうど子《こ》ども用《よう》のマウンテンバイクが3台置《だいお》かれていた。

「わたしのおいっ子《こ》たちの自転車《じてんしゃ》だ、それですぐ追《お》ってくれ。このあたりは、せまい道路《どうろ》が入《い》り組《く》んでるから、自転車《じてんしゃ》のほうが有利《ゆうり》なはずだ！」

美希《みき》は、すぐさま自転車《じてんしゃ》にまたがって「絶対追《ぜったいお》いつくんだから！」と、ペダルをこぎだした。

「よーし！　ぼくも！」

健太《けんた》もあわてて自転車《じてんしゃ》にまたがって、あとに続《つづ》いた。

深夜《しんや》の住宅街《じゅうたくがい》の道《みち》を、美希《みき》と健太《けんた》はマウンテンバイクのギアを最速《さいそく》に入《い》れ、必死《ひっし》にペダルをこぐ。やがて目《め》の前《まえ》にさっきのトラックが見《み》えてきた。

トラックはまるで挑発《ちょうはつ》するかのように、ゆっくりと、追《お》いつけそうなほどのスピードで走《はし》る。だが、美希《みき》と健太《けんた》の自転車《じてんしゃ》では、やはり追《お》いつけない。

勝《か》ち気《き》な性格《せいかく》の美希《みき》は、「もーっ!!　腹立《はらた》つっ!!」と、くやしがった。

「そうだっ、このあたりの道《みち》だと……あ、こっちのほうが早《はや》いに違《ちが》いない！」

美希《みき》はすぐにハンドルを切り、せまい路地裏《ろじうら》の道《みち》に入《はい》った。

美希《みき》は、住宅街《じゅうたくがい》の細《ほそ》い路地裏《ろじうら》の道《みち》を、ゴミ箱《ばこ》や電柱《でんちゅう》を器用《きよう》によけながら、必死《ひっし》にペダルをこいで走《はし》った。すると、一気《いっき》に視界《しかい》が開《ひら》け、走《はし》っていたもとの道《みち》に戻《もど》る。

「やった!!」

美希《みき》は、トラックの先回《さきまわ》りに成功《せいこう》したのだ。

美希《みき》はそのまま自転車《じてんしゃ》を身軽《みがる》に乗《の》り捨《す》てた。自転車《じてんしゃ》は猛《もう》スピードで壁《かべ》に激突《げきとつ》して倒《たお》れる。

美希《みき》は大《おお》きく手《て》を広《ひろ》げ、トラックに叫《さけ》んだ。

「止《と》まりなさい!!」

しかしトラックは、美希《みき》のほうに向《む》かってくる。

トラックのうしろを必死《ひっし》に追《お》っていた健太《けんた》は、トラックの先《さき》に美希《みき》がいることに気《き》づいた。美希《みき》はまだ、トラックの前《まえ》に立《た》ちはだかったままだ。

「美希《みき》ちゃん、あぶないっ!!」

健太《けんた》が叫《さけ》んだ。

美希《みき》も、万事休《ばんじきゅう》すと目《め》をつぶった。


キイイイィ！

トラックは急《きゅう》ブレーキをかけ、大《おお》きな音《おと》を立《た》てて止《と》まった。

そして今度《こんど》は猛《もう》スピードでバックしはじめた。

自転車《じてんしゃ》にまたがったままトラックのうしろにいた健太《けんた》は、あわててよけた。

トラックはバックしながら、別《べつ》の道《みち》に入《はい》ると、そのまま逃《に》げ去《さ》ってしまった。

健太《けんた》と美希《みき》はぼう然《ぜん》と、トラックをただ見送《みおく》るしかなかった。

「もうっ、あとちょっとのとこだったのに！」

美希《みき》は地団太《じだんだ》を踏《ふ》んだ。

「……でも、あの人《ひと》たち、ずっとぼくらが見張《みは》ってたのに、どうやって仏像《ぶつぞう》を盗《ぬす》んだんだろう……。ねえ真実《しんじつ》くん？」

健太《けんた》はそう言《い》って、まわりを見回《みまわ》した。

「あ……あれ？　真実《しんじつ》くんがいない。どこ行《い》ったんだろう？」

健太《けんた》と美希《みき》は屋敷《やしき》に戻《もど》ったが、真実《しんじつ》の姿《すがた》はなかった。

古金《ふるがね》が走《はし》り寄《よ》ってきて、健太《けんた》と美希《みき》に聞《き》いた。

「ヤツらをつかまえたか!?」

「それが、逃《に》げられてしまって……」

健太《けんた》は、申《もう》し訳《わけ》なさそうに古金《ふるがね》を見《み》た。

古金《ふるがね》は、ひたいに手《て》をやり、ひどく落胆《らくたん》した表情《ひょうじょう》をしていた。

美希《みき》も、そんな古金《ふるがね》に、とても声《こえ》がかけられなかった。


健太《けんた》と美希《みき》は、古金《ふるがね》といっしょに、改《あらた》めて仏像《ぶつぞう》のあった部屋《へや》に戻《もど》った。

古金《ふるがね》は、顔認証《かおにんしょう》で箱《はこ》の扉《とびら》を開《あ》けた。やはり、仏像《ぶつぞう》はそこにはない。

「ひどいことをするヤツがいるもんだ……」

古金《ふるがね》はうつむきかげんにつぶやくと、今度《こんど》は健太《けんた》と美希《みき》をキッとにらんだ。

「だいたい、きみらに任《まか》せたのにこのザマはなんだ！　それに、あの真実《しんじつ》というヤツは、いったいどこに行《い》ったんだ⁉」

そのとき、真実《しんじつ》がどこからか戻《もど》ってきた。

「あ、真実《しんじつ》くん。もう、今《いま》までどこ行《い》ってたのさ！」

心細《こころぼそ》かった健太《けんた》は、つい責《せ》めるような口調《くちょう》で真実《しんじつ》に言《い》った。

「ごめんよ、ちょっと調《しら》べたいことがあったんでね」

「何《なに》をいまさら……依頼《いらい》に失敗《しっぱい》して、逃《に》げ出《だ》そうとしてたんだろ！　やはり子《こ》どもじゃ役《やく》に立《た》たなかったようだ。警察《けいさつ》を呼《よ》ぶから、きみらは仏像《ぶつぞう》が盗《ぬす》まれて車《くるま》で運《はこ》び出《だ》されたって、ちゃんと説明《せつめい》するんだぞ」

古金《ふるがね》は人《ひと》が変《か》わったように、冷《つめ》たく、高圧的《こうあつてき》な口調《くちょう》で言《い》い放《はな》った。

健太《けんた》と美希《みき》は、自分《じぶん》たちのふがいなさを感《かん》じ、落《お》ちこんでいた。

だが、真実《しんじつ》だけは落《お》ち着《つ》いて、赤《あか》い仏像《ぶつぞう》が入《はい》っていた箱《はこ》に視線《しせん》を向《む》けた。

真実《しんじつ》は箱《はこ》の小窓《こまど》の部分《ぶぶん》を見《み》て、何《なに》かに気《き》づいたようだ。

「なるほど……。これですべて解《と》けたよ」

真実《しんじつ》は古金《ふるがね》を見《み》て、こう告《つ》げた。

「仏像《ぶつぞう》は盗《ぬす》まれていませんよ」

「……えっ」

古金《ふるがね》は思《おも》わず絶句《ぜっく》する。

「真実《しんじつ》くん、どういうこと？」

「だって、小窓《こまど》から見《み》たとき、確《たし》かに仏像《ぶつぞう》は消《き》えていたでしょ」

健太《けんた》と美希《みき》も、次々《つぎつぎ》と真実《しんじつ》に疑問《ぎもん》をぶつけた。

「いや、そのとき仏像《ぶつぞう》は箱《はこ》の中《なか》にあったんだ。ただ、窓《まど》にあるしかけをしたことで、懐中電灯《かいちゅうでんとう》で照《て》らしても消《き》えたように見《み》えたんだ。光《ひかり》と色《いろ》の関係《かんけい》を利用《りよう》したトリックさ。黒《くろ》いカエルのことを思《おも》い出《だ》せばわかるよ」

（黒《くろ》いカエル？　光《ひかり》と色《いろ》の関係《かんけい》を利用《りよう》した、窓《まど》のしかけって……？）

健太《けんた》は、じっと考《かんが》えた。

解決編《かいけつへん》

FILE 0002

「古金《ふるがね》さん、もっと近《ちか》くで、あの箱《はこ》を確認《かくにん》させてもらいますよ」

「えっ……それは」と、古金《ふるがね》は口《くち》ごもった。

真実《しんじつ》は、箱《はこ》に近《ちか》づくと、「ほら、これさ」と、窓《まど》を指《ゆび》さした。

健太《けんた》と美希《みき》は、近《ちか》くで小窓《こまど》を見《み》て次々《つぎつぎ》と声《こえ》をあげた。

「この窓《まど》、いつの間《ま》にか緑色《みどりいろ》に変《か》わってる！」

「ホントだ！　最初《さいしょ》は透明《とうめい》だったはずなのに」

真実《しんじつ》は次《つぎ》に、部屋《へや》の壁《かべ》にあるエアコンのコントロールパネルに近《ちか》づいた。パネルの横《よこ》に、何《なに》も書《か》かれていないスイッチが1つあった。真実《しんじつ》がそのスイッチを押《お》すと、窓《まど》はウィーンとかすかに音《おと》を立《た》てて、緑色《みどりいろ》から透明《とうめい》へと戻《もど》った。

「このボタンで、赤《あか》い仏像《ぶつぞう》の入《はい》っていた箱《はこ》の小窓《こまど》に緑色《みどりいろ》のフィルターがかかるようになっていたんだよ」

「……きみたち、何《なに》を今《いま》さらゴチャゴチャ言《い》ってるんだ。わたしのだいじな仏像《ぶつぞう》が、もう箱《はこ》の中《なか》にないのは確《たし》かじゃないか」

「古金《ふるがね》さん、話《はなし》を最後《さいご》まで聞《き》いてください」

真実《しんじつ》は古金《ふるがね》を見《み》た。静《しず》かだが迫力《はくりょく》あるまなざしに、古金《ふるがね》も思《おも》わずだまった。

「赤色《あかいろ》の物体《ぶったい》というのは、緑色《みどりいろ》の光《ひかり》を当《あ》てると、黒《くろ》く見《み》えます」

「そうか。色《いろ》は逆《ぎゃく》だけど、ぼくが赤《あか》い夕日《ゆうひ》に当《あ》たった緑色《みどりいろ》のカエルを、黒《くろ》く見間違《みまちが》えたのと同《おな》じか！」

「そのとおり、健太《けんた》くん。つまり、窓《まど》の緑色《みどりいろ》のフィルターを通《とお》した光《ひかり》が、赤色《あかいろ》の仏像《ぶつぞう》に当《あ》たると、仏像《ぶつぞう》が黒《くろ》く見《み》える。暗《くら》い部屋《へや》では、とても見《み》えづらくなる。それで、仏像《ぶつぞう》が消《き》えたように思《おも》わせたんだ」

「何《なん》で、そんな手《て》のこんだことをしたの？」

美希《みき》が真実《しんじつ》に尋《たず》ねた。

「仏像《ぶつぞう》が持《も》ち出《だ》されたと騒《さわ》ぎを起《お》こして、ぼくらにニセモノの犯人《はんにん》グループを追《お》いかけさせ、時間《じかん》をかせぐためさ」

健太《けんた》は、真実《しんじつ》が次々《つぎつぎ》と繰《く》り出《だ》す推理《すいり》に、ついていくのに必死《ひっし》だった。

「……真実《しんじつ》くん、それで、時間《じかん》をかせいでどうするのさ？」

「そのあいだに、仏像《ぶつぞう》を運《はこ》び出《だ》して、別《べつ》の場所《ばしょ》に移《うつ》したんだよ」

「え……、いったい誰《だれ》が？」

健太《けんた》がドキドキして真実《しんじつ》に聞《き》くと、真実《しんじつ》は、人《ひと》差《さ》し指《ゆび》で眼鏡《めがね》をクイッと上《あ》げた。

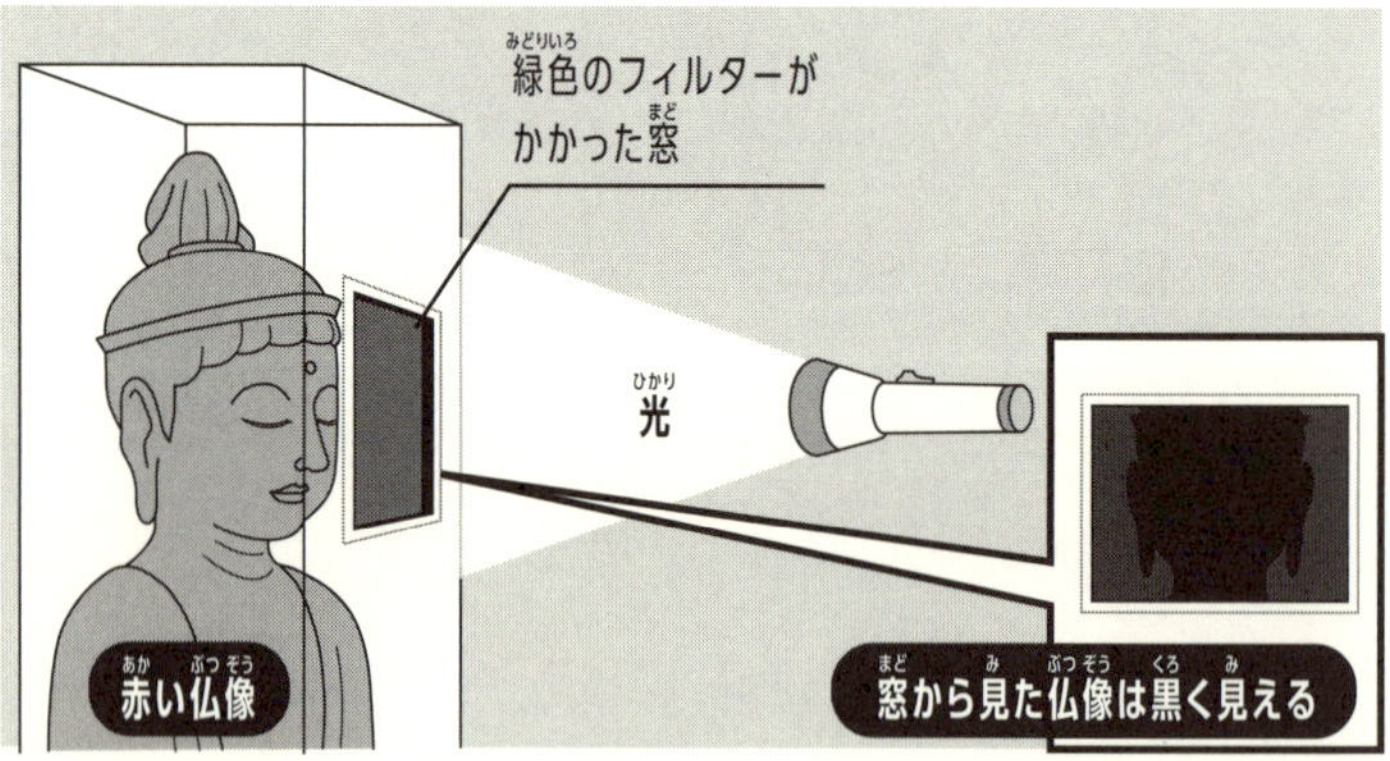
緑色《みどりいろ》のフィルターがかかった窓《まど》
光《ひかり》
赤《あか》い仏像《ぶつぞう》
窓《まど》から見《み》た仏像《ぶつぞう》は黒《くろ》く見《み》える

「そんなことができるのは、ただ1人《ひとり》。古金《ふるがね》さん、あなたですね」

真実《しんじつ》はピシッと古金《ふるがね》を指《ゆび》さした。

古金《ふるがね》はドキリとして生《なま》つばをのみこんだ。

「仏像《ぶつぞう》が消《き》えたと騒《さわ》ぎになったとき、古金《ふるがね》さんはなぜか箱《はこ》を開《あ》けて確《たし》かめようともせず、すぐ犯人《はんにん》を追《お》いかけるように指示《しじ》した。それが、疑問《ぎもん》でした」

じっと真実《しんじつ》をにらんでいた古金《ふるがね》の視線《しせん》が、宙《ちゅう》をさまよいはじめた。

「健太《けんた》くんと美希《みき》さんがトラックを追《お》っていたとき、ぼくはこの部屋《へや》に戻《もど》り、ひそんでいました。そして、古金《ふるがね》さんが箱《はこ》から仏像《ぶつぞう》を出《だ》し、部屋《へや》の書棚《しょだな》を動《うご》かしてエレベーターにのせたのを見《み》ました。行《い》き先《さき》は地下室《ちかしつ》ですね」

「仏像《ぶつぞう》を運《はこ》んだ……？　えっ、この部屋《へや》にエレベーター？　地下室《ちかしつ》？」

「ああ健太《けんた》くん、ここには秘密《ひみつ》のエレベーターがあったんだ。この洋館《ようかん》が建《た》てられたのは1950年代《ねんだい》あたり。そのころ世界《せかい》は、アメリカと旧《きゅう》ソ連《れん》の2大大国《だいたいこく》が対立《たいりつ》していて、いつ核戦争《かくせんそう》が起《お》きるかわからない時代《じだい》だった」

「いわゆる『冷戦《れいせん》』ってやつね」

「美希《みき》さん、そのとおり。だからこの洋館《ようかん》の持《も》ち主《ぬし》だったアメリカの政治家《せいじか》は、核《かく》シェルター用《よう》の地下室《ちかしつ》をつくったんだね」

「かくしぇるたーって、何《なに》？　真実《しんじつ》くん」

「核爆弾《かくばくだん》から身《み》を守《まも》る避難所《ひなんじょ》だよ」

真実《しんじつ》は、クイッと眼鏡《めがね》を上《あ》げて、古金《ふるがね》のほうを見《み》た。

「古金《ふるがね》さん、窓《まど》のトリックも、ピエロの面《めん》をつけた一味《いちみ》も、すべてあなたがしくんだのですね。警察《けいさつ》にも、地下室《ちかしつ》を確認《かくにん》してもらいましょう」

古金《ふるがね》は、観念《かんねん》したように、ガクリと肩《かた》を落《お》とした。

「……何《なん》で、こんなことまでして仏像《ぶつぞう》を隠《かく》したんですか？」

健太《けんた》が古金《ふるがね》に聞《き》くと、古金《ふるがね》は深《ふか》く溜《た》め息《いき》をついて、なぜか、ほほえんだ。

「……実《じつ》は、破産寸前《はさんすんぜん》でね。財産《ざいさん》を差《さ》し押《お》さえられる前《まえ》に、盗《ぬす》まれたと見《み》せかけて仏像《ぶつぞう》を隠《かく》したかった。警察《けいさつ》には、きみらを証人《しょうにん》にしてね。この仏像《ぶつぞう》だけは手放《てばな》したくなかったんだ。だが……きみらをあなどっていた。わたしの鑑定眼《かんていがん》もにぶったようだな」

数《すう》か月後《げつご》、古金《ふるがね》が自己破産《じこはさん》したというニュースが伝《つた》えられた。

「利用《りよう》されたなんて、もう腹立《はらた》つ〜！　自転車《じてんしゃ》であんなに必死《ひっし》に追《お》っかけたのに」

美希《みき》は、まだ古金《ふるがね》に怒《おこ》っていた。

「……やっぱりあの仏像《ぶつぞう》、うわさどおり、手《て》に入《い》れたら不幸《ふこう》になるんだよ！」

「健太《けんた》くん、そうかな？　自分《じぶん》の欲望《よくぼう》で自滅《じめつ》しているだけじゃないかな？　あの仏像《ぶつぞう》を手《て》に入《い》れたがるなんて、よほど支配欲《しはいよく》にかられた人間《にんげん》だろうしね」

真実《しんじつ》はそう言《い》うと、ほほえんで、また本《ほん》を読《よ》みはじめた。

「血《ち》ぬりの仏像消失事件《ぶつぞうしょうしつじけん》」終《お》わり

色《いろ》が見《み》えるのはなぜ？

人間《にんげん》は、光《ひかり》を目《め》でとらえることでものを見《み》ています。だから、真《ま》っ暗《くら》な部屋《へや》では、何《なに》も見《み》えません。

ものの色《いろ》も、目《め》が光《ひかり》をとらえることで感《かん》じることができます。身《み》のまわりにあるものは、さまざまな色《いろ》をしていますが、これは、ものが反射《はんしゃ》した光《ひかり》の色《いろ》を見《み》ているのです。

太陽《たいよう》の光《ひかり》にはさまざまな色《いろ》が混《ま》ざっている！

太陽《たいよう》の光《ひかり》は、白《しろ》っぽい色《いろ》（または透明《とうめい》）に見《み》えるが、実《じつ》は、さまざまな色《いろ》の光《ひかり》からできている。プリズムという三角柱《さんかくちゅう》の形《かたち》のガラスを使《つか》えば、太陽《たいよう》の光《ひかり》を虹《にじ》のようにいくつもの色《いろ》の光《ひかり》に分解《ぶんかい》することができる。

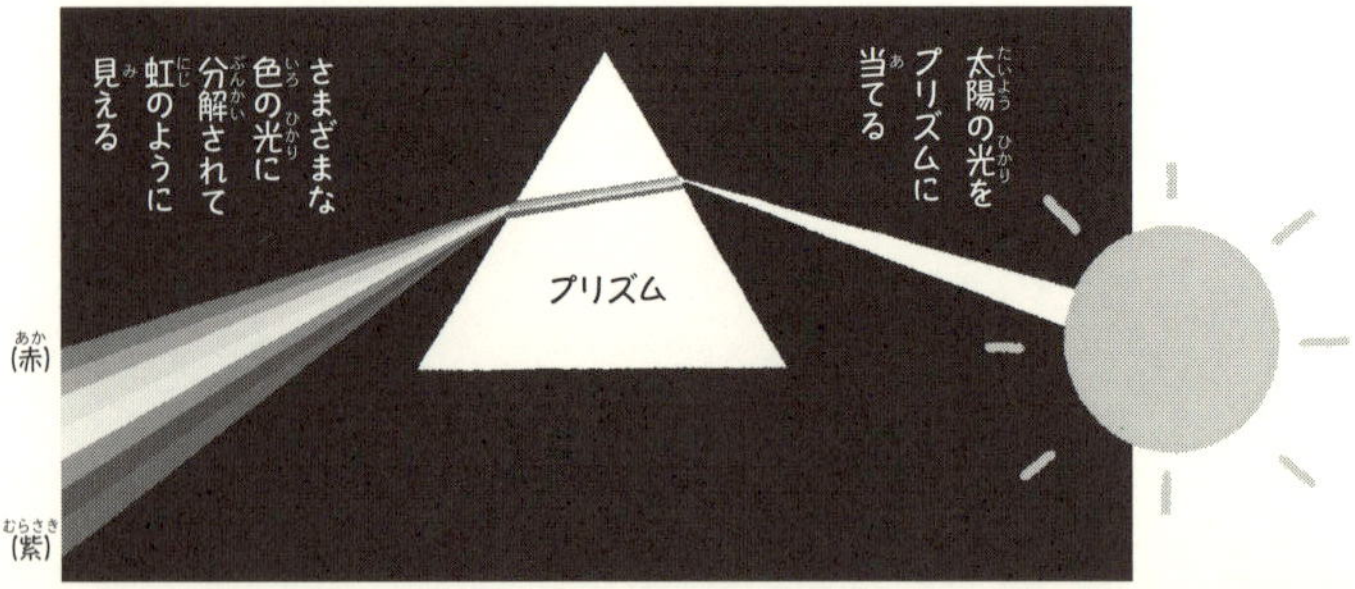

太陽《たいよう》の光《ひかり》をプリズムに当《あ》てる
さまざまな色《いろ》の光《ひかり》に分解《ぶんかい》されて虹《にじ》のように見《み》える
プリズム
（赤《あか》）
（紫《むらさき》）

ものが赤《あか》く見《み》えるのは?

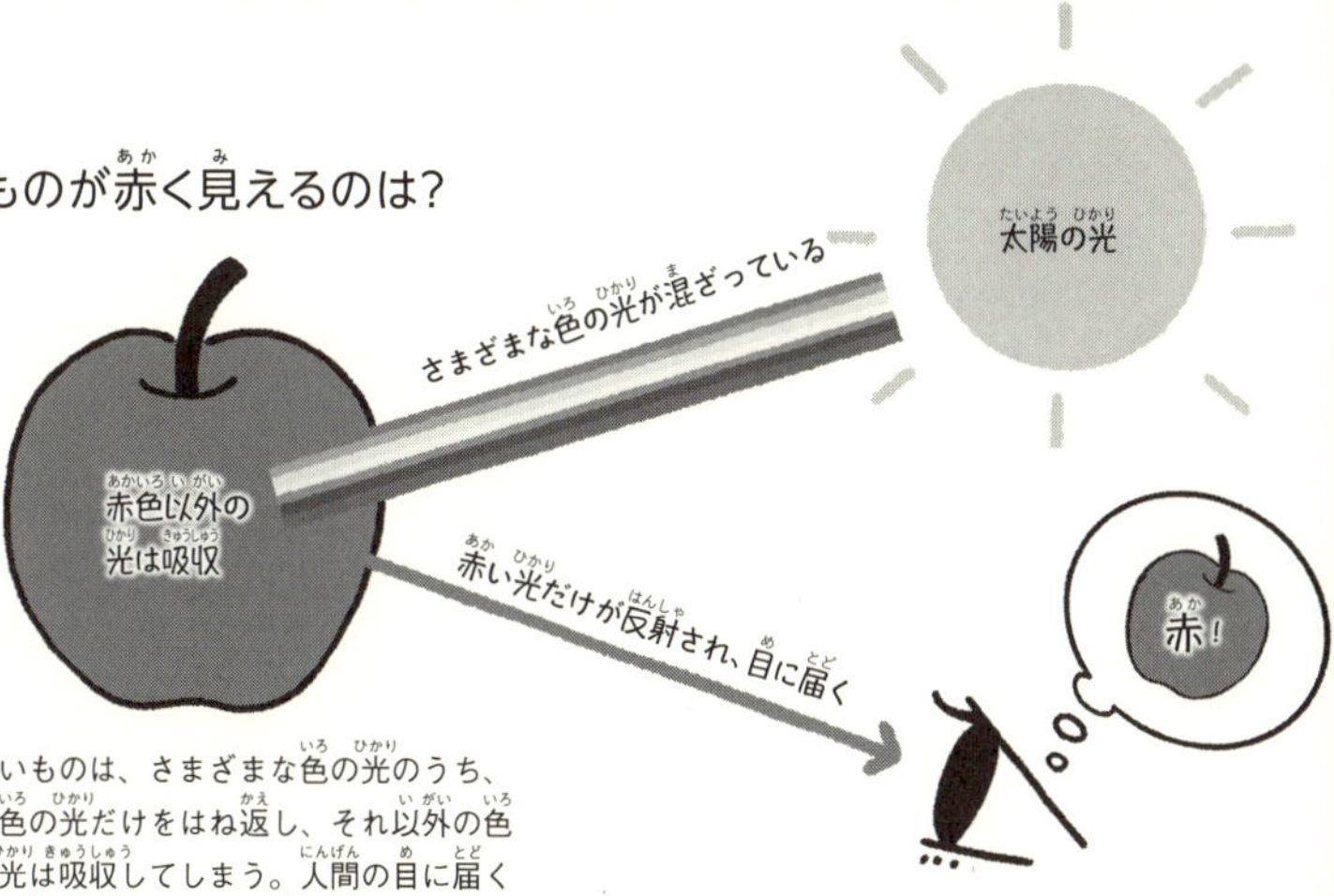
太陽《たいよう》の光《ひかり》
さまざまな色《いろ》の光《ひかり》が混《ま》ざっている
赤色以外《あかいろいがい》の光《ひかり》は吸収《きゅうしゅう》
赤《あか》い光《ひかり》だけが反射《はんしゃ》され、目《め》に届《とど》く
赤《あか》!

赤《あか》いものは、さまざまな色《いろ》の光《ひかり》のうち、赤色《あかいろ》の光《ひかり》だけをはね返《かえ》し、それ以外《いがい》の色《いろ》の光《ひかり》は吸収《きゅうしゅう》してしまう。人間《にんげん》の目《め》に届《とど》くのは赤《あか》い光《ひかり》だけなので、赤《あか》く見《み》えるのだ。

赤《あか》いものに 緑色《みどりいろ》の光《ひかり》だけを当《あ》てると?

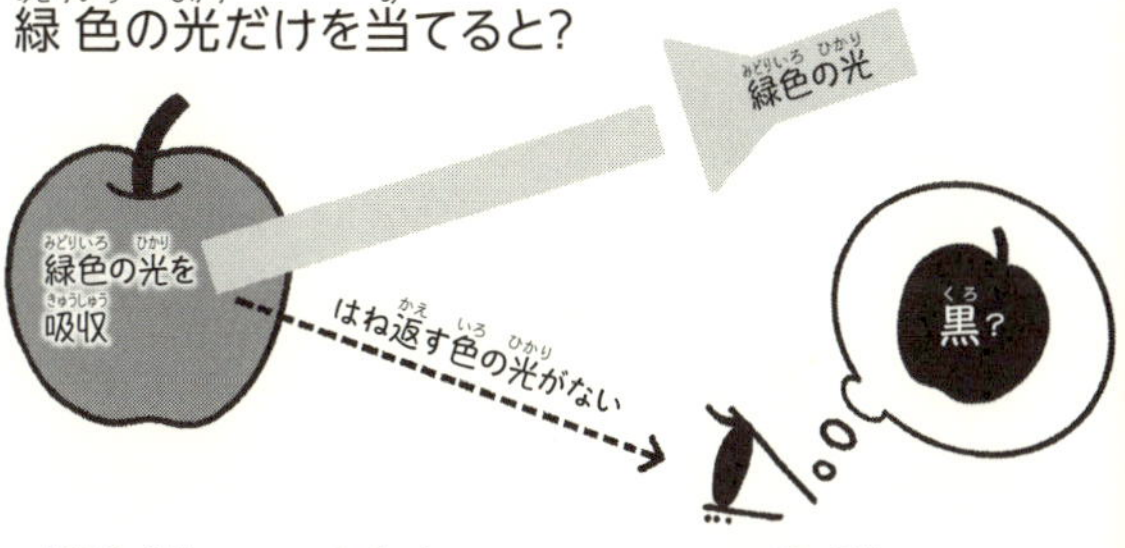
緑色《みどりいろ》の光《ひかり》
緑色《みどりいろ》の光《ひかり》を吸収《きゅうしゅう》
はね返《かえ》す色《いろ》の光《ひかり》がない
黒《くろ》?

白《しろ》いものはすべての光《ひかり》をはね返《かえ》すので白《しろ》く見《み》え、黒《くろ》いものはすべての光《ひかり》を吸収《きゅうしゅう》するから黒《くろ》く見《み》えるんだよ

緑色《みどりいろ》の光《ひかり》は、すべて吸収《きゅうしゅう》されてしまうので、はね返《かえ》す光《ひかり》はなくなり、色《いろ》がなくなってしまう（黒《くろ》く見《み》える）。お話《はなし》の中《なか》で、赤《あか》いものが緑色《みどりいろ》のフィルターを通《とお》した光《ひかり》で黒《くろ》く見《み》えたのは、このためだ。

怪奇事件《かいきじけん》ファイル ３

体育館《たいいくかん》に浮《う》かぶ生首《なまくび》

土曜日《どようび》の午後《ごご》。暗幕《あんまく》が張《は》られた体育館《たいいくかん》で、1人《ひとり》の男子生徒《だんしせいと》が、汗《あせ》だくになりながらバスケットボールの自主練習《じしゅれんしゅう》に打《う》ちこんでいる。

シューズをキュッキュッと鳴《な》らし、軽快《けいかい》なフットワークでドリブルして、華麗《かれい》なシュートを決《き》める。

そのとき、突然《とつぜん》、バチンッという音《おと》とともに電気《でんき》が消《き》え、体育館《たいいくかん》は真《ま》っ暗《くら》になった。

「……わ、またっ!」

光《ひかり》の筋《すじ》が、暗闇《くらやみ》にスッと差《さ》しこむ。

男子生徒《だんしせいと》はハッとして光《ひかり》を目《め》で追《お》った。

すると……なんと、バスケットゴールの白《しろ》いボードに、人《ひと》の生首《なまくび》がボウッと浮《う》かび上《あ》がっていた。

「わぁっ!」

男子生徒《だんしせいと》は悲鳴《ひめい》をあげて床《ゆか》にうずくまると、そのまま気《き》を失《うしな》った。

数日後《すうじつご》、宮下健太《みやしたけんた》、謎野真実《なぞのしんじつ》、青井美希《あおいみき》の3人《にん》は、馬洲毛学園中学《ばすけがくえんちゅうがく》に来《き》ていた。こ

こはバスケットボールの強豪校《きょうごうこう》。そのバスケ部部長《ぶぶちょう》の長田《おさだ》から依頼《いらい》があって、話《はなし》を聞《き》きにきたのだ。

「大会《たいかい》をひかえているというのに、うちのバスケ部《ぶ》エースの流山球一《ながれやまきゅういち》くんが、体育館《たいいくかん》で幽霊《ゆうれい》を見《み》たと言《い》ってて、あまりのショックで体調《たいちょう》をくずして、ずっと学校《がっこう》を休《やす》んでるんだよ」

流山《ながれやま》が見《み》た幽霊《ゆうれい》とは、バスケットゴールに浮《う》かぶ生首《なまくび》だという。

「えっ、生首《なまくび》ですかっ⁉」

健太《けんた》はギョッとして声《こえ》をあげた。

「ほかに目撃者《もくげきしゃ》はいないのですか？」

真実《しんじつ》が聞《き》くと、長田《おさだ》は首《くび》を横《よこ》に振《ふ》った。

「前《まえ》にも流山《ながれやま》くんが、『1人《ひとり》で練習《れんしゅう》していたときに、生首《なまくび》の幽霊《ゆうれい》が出《で》た』って騒《さわ》いだけど、ぼくらは気《き》のせいだと相手《あいて》にしなかったんだ……。でも今度《こんど》は絶対《ぜったい》見《み》たと言《い》い張《は》っていて……」

流山《ながれやま》は転校《てんこう》してきたばかりにもかかわらず、あっという間《ま》にバスケットボール部《ぶ》のエースの座《ざ》にのぼりつめた逸材《いつざい》だという。

「流山《ながれやま》くんはプレーはピカイチなんだけど、すごく繊細《せんさい》な性格《せいかく》だから、とても心配《しんぱい》なんだ」

「流山《ながれやま》さんだけが目撃《もくげき》……」

長田《おさだ》の話《はなし》を聞《き》いていた真実《しんじつ》は、そうつぶやくと、もう何《なに》かを考《かんが》えはじめているようだ。

美希《みき》がグイッと前《まえ》に出《で》て、長田《おさだ》に告《つ》げた。

「事情《じじょう》は把握《はあく》しました。お任《まか》せくださいっ！　流山《ながれやま》さんが安心《あんしん》して練習《れんしゅう》に復帰《ふっき》し、大会《たいかい》に出《で》られるよう、生首事件《なまくびじけん》はわたしたちが解明《かいめい》しますっ！」

(今度《こんど》は生首《なまくび》かあ……。気持《きも》ち悪《わる》いなあ)

健太《けんた》だけは、おどろおどろしい生首《なまくび》を想像《そうぞう》して、とても気《き》が重《おも》くなった。

翌日《よくじつ》。真実《しんじつ》、健太《けんた》、美希《みき》の３人《にん》は、流山《ながれやま》に話《はなし》を聞《き》くため、彼《かれ》の住《す》む団地《だんち》を訪《おとず》れた。

「体調自体《たいちょうじたい》は、だいぶ良《よ》くなったんだけどね……」

スウェット姿《すがた》の流山《ながれやま》が、家《いえ》に迎《むか》え入《い》れてくれた。

「初《はじ》めて生首《なまくび》を見《み》たときは、部員《ぶいん》に笑《わら》われて、ぼくも、きっと気《き》のせいだと思《おも》い直《なお》したんだ……。でも、あとで調《しら》べてみたら、あの体育館《たいいくかん》はいわくつきだって知《し》ったんだ」

流山《ながれやま》が見《み》つけたネットの書《か》きこみには、こうあったという。

〈1人《ひとり》でバスケの練習《れんしゅう》をしていた生徒《せいと》が、ゴールに引《ひ》っかかったボールをギャラリーから取《と》ろうとして足《あし》をすべらせ、ゴールのリングに首《くび》が引《ひ》っかかって死《し》んでいるところを発見《はっけん》された〉

「そんな事故《じこ》が、あの体育館《たいいくかん》であったんですか!?」

美希《みき》が驚《おどろ》いて声《こえ》をあげた。

「うん。そしてまた、ぼくは生首《なまくび》を目撃《もくげき》した……。ぼくは、死《し》んだその生徒《せいと》に取《と》りつかれたのかもしれない。もうシュートを打《う》つたびに、ゴールに生首《なまくび》が浮《う》かんでいた光景《こうけい》が頭《あたま》をよぎって、まともにプレーできないよ……」

流山《ながれやま》の家《いえ》のリビングのソファには、バスケットボールが置《お》かれていた。

(今《いま》も部屋《へや》でボールに触《ふ》れているんだ……。本当《ほんとう》はバスケがしたくてたまらないんだ)

健太《けんた》は、流山《ながれやま》をとても気《き》の毒《どく》に思《おも》った。

真実《しんじつ》が、流山《ながれやま》に聞《き》いた。

「生首《なまくび》が出《で》たときの状況《じょうきょう》を、詳《くわ》しく教《おし》えてくれませんか?」

「その日《ひ》も、ライバル校《こう》の偵察対策《ていさつたいさく》で、暗幕《あんまく》を張《は》って体育館《たいいくかん》で練習《れんしゅう》していたんだ。すると突然《とつぜん》、電気《でんき》が消《き》えて真《ま》っ暗《くら》になって一筋《ひとすじ》の光《ひかり》が見《み》えてね。それから光《ひかり》の先《さき》にあったゴールに生首《なまくび》が現《あらわ》れたんだ」

「一筋《ひとすじ》の光《ひかり》の先《さき》に……」

真実《しんじつ》はそうつぶやくと、考《かんが》えこんだ。そして、ふたたび口《くち》を開《ひら》いた。

「流山《ながれやま》さん、また体育館《たいいくかん》でバスケの練習《れんしゅう》をしてもらえませんか?」

流山《ながれやま》は真実《しんじつ》の言葉《ことば》に絶句《ぜっく》し、青《あお》ざめた顔《かお》で首《くび》を横《よこ》に振《ふ》った。

「ほかの生徒《せいと》は目撃《もくげき》していません。あなたが練習《れんしゅう》するときだけ、その現象《げんしょう》が起《お》きている。だから検証《けんしょう》するには、あなたにまた体育館《たいいくかん》で練習《れんしゅう》してもらうしか……」

「絶対《ぜったい》にイヤだっ! 断《ことわ》る!!」

流山《ながれやま》は、青《あお》ざめた顔《かお》で声《こえ》をあららげて、真実《しんじつ》の言葉《ことば》をさえぎった。

健太《けんた》は、流山《ながれやま》が出《だ》した大声《おおごえ》に驚《おどろ》いた。

真実《しんじつ》は困《こま》ったようすで、口元《くちもと》に手《て》を当《あ》て、何《なに》か考《かんが》えているようだった。


次《つぎ》の土曜日《どようび》。馬洲毛学園中学《ばすけがくえんちゅうがく》の体育館《たいいくかん》で、1人《ひとり》、練習《れんしゅう》に打《う》ちこむ男子生徒《だんしせいと》の姿《すがた》があった。

背中《せなか》には「流山《ながれやま》」と書《か》かれたゼッケンが付《つ》いている。

男子生徒《だんしせいと》は、汗《あせ》をダラダラ流《なが》し、息《いき》を切《き》らしてドリブルしていた。

しかし、フットワークもドリブルも、どこかぎこちない。

真実《しんじつ》と美希《みき》は体育館《たいいくかん》のギャラリーに隠《かく》れて、祈《いの》るようにその男子生徒《だんしせいと》の姿《すがた》を見守《みまも》っている。

美希《みき》は顔《かお》をしかめて、歯《は》がゆそうにつぶやいた。

「……もうっ、何《なん》か違《ちが》うなあ」

「流山《ながれやま》」のゼッケンの生徒《せいと》が、ドリブルシュートを決《き》めようとしたが、ボールが手《て》からすっぽ抜《ぬ》け、真上《まうえ》に高《たか》く上《あ》がる。

落下《らっか》したボールは、男子生徒《だんしせいと》の頭《あたま》を直撃《ちょくげき》し、体育館《たいいくかん》のすみへと転《ころ》がっていった。

「あちゃー。何《なに》やってんだか」

美希《みき》は頭《あたま》をかかえた。

「なんとかなりきってくれよ。生首現象《なまくびげんしょう》が起《お》きるかどうかは、きみにかかっているんだ」

真実《しんじつ》は、真剣《しんけん》なまなざしを男子生徒《だんしせいと》に送《おく》った。

流山《ながれやま》のゼッケンを付《つ》けて練習《れんしゅう》していたのは、なんと、健太《けんた》だった。

健太《けんた》は転《ころ》がったボールを拾《ひろ》って、練習《れんしゅう》を続《つづ》けた。

（バスケットボール、ぜんぜん得意《とくい》じゃないのに……。それに、いつ生首《なまくび》が現《あらわ》れるかと思《おも》うと、怖《こわ》くて集中《しゅうちゅう》できないよ……）

そのときだった。突然《とつぜん》、バチンッと音《おと》がして、電気《でんき》が消《き》える。

「ヒッ」と、思《おも》わず小《ち》さな悲鳴《ひめい》をあげる健太《けんた》。

真《ま》っ暗《くら》になった体育館内《たいいくかんない》に、スッと一筋《ひとすじ》の光《ひかり》が差《さ》しこむ。

（あ、これが、流山《ながれやま》さんが言《い》ってた光《ひかり》だ）

そう考《かんが》えながら、健太《けんた》は光《ひかり》の先《さき》を目《め》で追《お》う。

すると、バスケットゴールの白《しろ》いボードに、ボウッと人間《にんげん》の首《くび》が浮《う》かんでいたのだ。

「で、出《で》た〜〜!!　生首《なまくび》っ!!」

健太《けんた》は腰《こし》を抜《ぬ》かして、しりもちをついた。

真実《しんじつ》は、バスケットゴールに現《あらわ》れた生首《なまくび》と、光《ひかり》の入《はい》ってくる場所《ばしょ》を、急《いそ》いで確認《かくにん》する。

そして、美希《みき》といっしょにあわてて階段《かいだん》を下《お》りて、健太《けんた》のもとへかけ寄《よ》った。

「ナ……ナマクビ!!　こっち見《み》るなっ」

健太《けんた》は目《め》をつぶり、しりもちをついたまま必死《ひっし》にあとずさりした。

「健太《けんた》くん、落《お》ち着《つ》くんだ！」

真実《しんじつ》はそう言《い》って、いちばん近《ちか》くにあった暗幕《あんまく》を、バサリッと開《あ》けた。

外《そと》の光《ひかり》が一気《いっき》に入《はい》り、体育館《たいいくかん》の中《なか》が明《あか》るくなる。すると、生首《なまくび》は消《き》えた。

「……あれっ、消《き》えちゃった。何《なん》で？」

美希《みき》は驚《おどろ》いて、あたりを見回《みまわ》す。

「確《たし》かに、光《ひかり》の先《さき》に生首《なまくび》が現《あらわ》れたね。そして、その光《ひかり》が差《さ》しこんできたのは、あそこだ」

真実《しんじつ》が指《ゆび》さしたのは、バスケットゴールの反対側《はんたいがわ》にある暗幕《あんまく》の張《は》られた窓《まど》だ。よく見《み》ると、暗幕《あんまく》の一部《いちぶ》が丸《まる》く切《き》り取《と》られて、外《そと》の光《ひかり》が入《はい》るようになっていた。

「ここから光《ひかり》が入《はい》るようにしていたんだな」

真実《しんじつ》は、ひとりごとのようにつぶやいた。

健太《けんた》と美希《みき》は、不思議《ふしぎ》そうに真実《しんじつ》のようすを見守《みまも》るしかなかった。

「やはり……これは、しくまれた怪奇現象《かいきげんしょう》だ」

健太《けんた》と美希《みき》は驚《おどろ》いて、真実《しんじつ》を見《み》た。

「犯人《はんにん》は近《ちか》くにいるはずだ」

真実《しんじつ》はそう告《つ》げて、外《そと》へと飛《と》び出《だ》した。美希《みき》と健太《けんた》も、あわてて真実《しんじつ》を追《お》いかけた。

真実《しんじつ》は、まず体育館《たいいくかん》の外《そと》にある電源《でんげん》のブレーカーが落《お》とされているのを確認《かくにん》した。

次《つぎ》に、穴《あな》の開《あ》いていた暗幕側《あんまくがわ》となる体育館《たいいくかん》の裏《うら》に回《まわ》った。そこには小《ちい》さな裏庭《うらにわ》があり、3人《にん》の生徒《せいと》が、それぞれ運動《うんどう》していた。

真実《しんじつ》は、裏庭《うらにわ》を見《み》わたしながら、つぶやいた。

「おそらく、この3人《にん》の中《なか》に、犯人《はんにん》はいるはずだよ」

「……え、みんな、ふつうに運動《うんどう》しているだけのように見《み》えるけど。この中《なか》に、あの生《なま》首《くび》を出現《しゅつげん》させた犯人《はんにん》がいるってこと？」

美希《みき》が聞《き》くと、真実《しんじつ》は厳《きび》しい視線《しせん》を裏庭《うらにわ》に向《む》けながら、無言《むごん》でうなずいた。

（そもそも、生首《なまくび》を意図的《いとてき》に出現《しゅつげん》させるなんて、できるの？）

健太《けんた》は、次々《つぎつぎ》に疑問《ぎもん》がわいてきて、話《はなし》の展開《てんかい》についていくのに必死《ひっし》だった。

「さっそく、話《はなし》を聞《き》いてみよう」

真実《しんじつ》はそう言《い》うと、足《あし》を踏《ふ》み出《だ》した。


真実《しんじつ》と健太《けんた》、美希《みき》は裏庭《うらにわ》にいた3人《にん》の生徒《せいと》たちに順番《じゅんばん》に話《はなし》を聞《き》いた。

まず、裏庭《うらにわ》のすみで壁打《かべう》ちしていたテニス部部長《ぶぶちょう》の庭田《にわた》はるかに声《こえ》をかけた。

「さっき何《なに》してたって？　ここで練習《れんしゅう》してたけど……ナニッ？」

庭田《にわた》は、髪《かみ》の毛《け》をかきあげ、鋭《するど》い目《め》でこちらを見《み》た。健太《けんた》は、その鋭《するど》さにしりごみしたが、真実《しんじつ》はものおじせずバスケ部《ぶ》についての話題《わだい》を向《む》けた。

「バスケ部《ぶ》について？　……いくら強《つよ》いか知《し》んないけど、バスケ部《ぶ》だけ部費《ぶひ》の予算《よさん》が高《たか》かったりして、ほかの部《ぶ》は正直《しょうじき》ムカッときてるよね」

庭田《にわた》は、バスケ部《ぶ》への不満《ふまん》をもらした。

次《つぎ》に、鉄棒《てつぼう》が並《なら》ぶ場所《ばしょ》で、逆上《さかあ》がりをしていた取部恭一《とりぶきょういち》に話《はなし》を聞《き》いた。

「オレは鉄棒《てつぼう》で遊《あそ》んでたよ。最近《さいきん》、バスケ部《ぶ》やめてヒマになったからね」

健太《けんた》は、取部《とりぶ》が鉄棒《てつぼう》でクルクル回《まわ》る姿《すがた》を見《み》て、かなりの運動神経《うんどうしんけい》の持《も》ち主《ぬし》であると感《かん》じた。T《ティー》シャツからは、しなやかな筋肉《きんにく》がのぞいていた。

真実《しんじつ》は、取部《とりぶ》にもバスケ部《ぶ》の話題《わだい》を向《む》けてみた。

「……あまりいい思《おも》い出《で》はないね。でも、もうぜんぶ過去《かこ》のことさ」

取部《とりぶ》は一瞬《いっしゅん》、曇《くも》った表情《ひょうじょう》を見《み》せたが、さわやかに笑《わら》い飛《と》ばした。

最後《さいご》に、陸上部《りくじょうぶ》の足塚早太《あしづかはやた》に話《はなし》を聞《き》いた。足塚《あしづか》はずっとストレッチをしていたと答《こた》えた。そしてバスケ部《ぶ》について聞《き》いてみると……。

「バスケ部に比《くら》べて、陸上部《りくじょうぶ》なんてないがしろだよ。ぼくが、この前《まえ》の大会《たいかい》で全国《ぜんこく》3位《い》になったのに、誰《だれ》も見向《みむ》きもしやしないんだぜ」

足塚《あしづか》は、くやしそうに語《かた》った。

3人《にん》とも、バスケ部《ぶ》に対《たい》し、何《なに》かしら不満《ふまん》を持《も》っているようだ。

聞《き》きこみを終《お》えた真実《しんじつ》と、健太《けんた》、美希《みき》の3人《にん》は体育館《たいいくかん》に戻《もど》った。

「健太《けんた》くん、美希《みき》さん、ちょっとこの体育館《たいいくかん》の中《なか》にいてくれないか」

真実《しんじつ》はそう言《い》い、ふたたび暗幕《あんまく》を閉《し》めて、体育館《たいいくかん》の外《そと》に出《で》た。しばらくすると、真実《しんじつ》がブレーカーを落《お》としたのか、体育館《たいいくかん》の電気《でんき》が消《き》えた。健太《けんた》は、あたりが一気《いっき》に真《ま》っ暗《くら》になって、少《すこ》し怖《こわ》くなった。

健太《けんた》と美希《みき》は、差《さ》しこむ光《ひかり》に気《き》づいて、その先《さき》を目《め》で追《お》い、驚《おどろ》いた。

なんと、バスケットゴールのボードに、顔《かお》が逆《さか》さまに浮《う》かんでいたのだ。よく見《み》ると、それは真実《しんじつ》の顔《かお》だった。

真実《しんじつ》は電気《でんき》をつけて体育館《たいいくかん》に戻《もど》ってきた。

健太《けんた》は真実《しんじつ》に声《こえ》をかけた。

「真実《しんじつ》くん、何《なに》をやったの⁉　こんなに簡単《かんたん》に生《なま》首《くび》を出現《しゅつげん》させられるなんて」

「これは、『ピンホール現象《げんしょう》』を使《つか》ったトリックだよ」

聞《き》き慣《な》れない言葉《ことば》に、健太《けんた》の頭《あたま》の中《なか》に？《ハテナ》マークが浮《う》かんだ。

「真実《しんじつ》くん、その、『ぴんほーるげんしょう』って、何《なん》のこと？」

健太《けんた》は、真実《しんじつ》に尋《たず》ねた。

「そうか、まずピンホールカメラについて説明《せつめい》しなきゃね。箱《はこ》に小《ちい》さな穴《あな》を開《あ》けて、その穴《あな》から光《ひかり》を通《とお》し、箱《はこ》の中《なか》に像《ぞう》を映《うつ》し出《だ》すカメラのことさ」

「あ、それ、わたし、やったことある！　レンズもないのに、まわりの景色《けしき》が映《うつ》るんだよね」

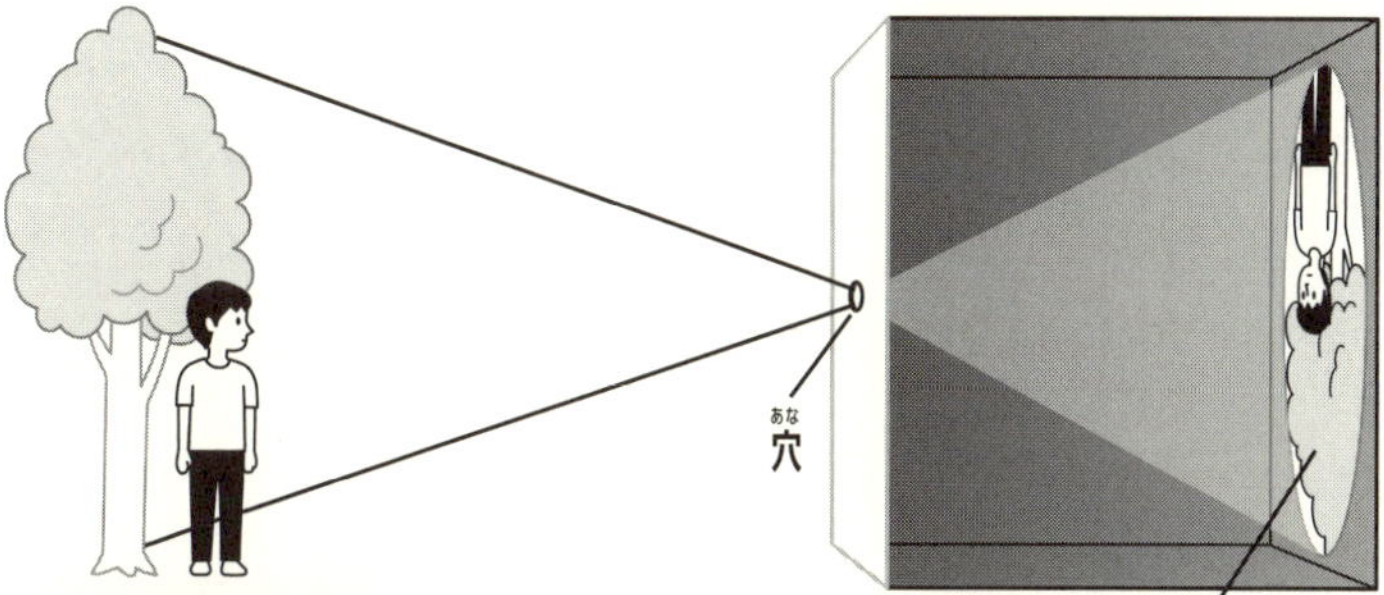

ピンホール現象《げんしょう》　穴《あな》を通《とお》った光《ひかり》が壁《かべ》に映《うつ》るので、像《ぞう》は逆《さか》さまになる

美希《みき》は学習雑誌《がくしゅうざっし》の付録《ふろく》だったピンホールカメラのキットで遊《あそ》んだことを思《おも》い出《だ》し、言《い》った。

「犯人《はんにん》は、この暗幕《あんまく》でさえぎられた体育館《たいいくかん》の電気《でんき》を消《け》し、真《ま》っ暗《くら》にして、暗幕《あんまく》に開《あ》けた穴《あな》から光《ひかり》を入《い》れて、外《そと》の景色《けしき》を映《うつ》し出《だ》した……。まさに体育館全体《たいいくかんぜんたい》をピンホールカメラにしたのさ」

「じゃあ、生首《なまくび》は誰《だれ》かのいたずらだったってこと?」

健太《けんた》の問《と》いかけに、真実《しんじつ》はうなずいた。

「ああ。犯人《はんにん》は、バスケットゴールの白《しろ》いボードをスクリーン代《が》わりにして、ちょうど頭《あたま》の部分《ぶぶん》だけが、はっきり映《うつ》るようにしたんだ。まるで生首《なまくび》が浮《う》かんでいるように見《み》えるようにね」

健太《けんた》は、ふと疑問《ぎもん》が浮《う》かんで真実《しんじつ》に尋《たず》ねた。

「でも、さっきバスケットゴールに映《うつ》った真実《しんじつ》くんの顔《かお》は、なんで逆《さか》さまだったの?」

「そう、健太《けんた》くん、それこそがピンホールカメラの特徴《とくちょう》なんだ。ピンホールカメラの小《ちい》さい穴《あな》を通《とお》った光《ひかり》は、上《うえ》から来《き》た光《ひかり》は下《した》へ、下《した》から来《き》た光《ひかり》は上《うえ》へ、右《みぎ》から来《き》た光《ひかり》は左《ひだり》へ、左《ひだり》から来《き》た光《ひかり》は右《みぎ》へ、それぞれ真《ま》っすぐに進《すす》む。だから、上下左右《じょうげさゆう》が反対《はんたい》に映《うつ》るんだ」

「……ぼくにはちょっと難《むずか》しいけど……それで、首《くび》が逆《さか》さまに映《うつ》るんだね」

「うん。健太《けんた》くん、きみはまさに今回《こんかい》の犯人《はんにん》を特定《とくてい》する重要《じゅうよう》なポイントを指摘《してき》してくれたんだ」

健太《けんた》は、「犯人《はんにん》を特定《とくてい》する」という言葉《ことば》の響《ひび》きにドキリとした。

真実《しんじつ》は、眼鏡《めがね》を人差《ひとさ》し指《ゆび》でクイッと上《あ》げると、健太《けんた》と美希《みき》を見《み》た。

「さっき裏庭《うらにわ》で話《はなし》を聞《き》いた3人《にん》の中《なか》で、体育館《たいいくかん》の中《なか》に逆《さか》さまじゃない生首《なまくび》を映《うつ》し出《だ》せるのは、1人《ひとり》しかいない」

健太《けんた》の胸《むね》は、ドキドキと、さらに高鳴《たかな》った。そして、健太《けんた》と美希《みき》は、顔《かお》を見合《みあ》わせてうなずいた。2人《ふたり》とも、頭《あたま》の中《なか》に同《おな》じ人物《じんぶつ》が浮《う》かんだのだ。

体育館《たいいくかん》に生首《なまくび》を出現《しゅつげん》させたのは、裏庭《うらにわ》にいた3人《にん》のうち、いったい誰《だれ》だろう？

FILE 0003

解決編《かいけつへん》

体育館《たいいくかん》に、真実《しんじつ》に呼《よ》び出《だ》された取部恭一《とりぶきょういち》がやってきた。取部《とりぶ》はすでに何《なに》かを感《かん》じているのか、緊張《きんちょう》した面持《おもも》ちだ。

「……話《はなし》があるって、いったい何《なん》だい？」

「生首現象《なまくびげんしょう》を起《お》こして流山《ながれやま》くんを怖《こわ》がらせたのは、取部《とりぶ》さん、あなたですね？」

真実《しんじつ》が落《お》ち着《つ》いた口調《くちょう》で、取部《とりぶ》に告《つ》げる。

取部《とりぶ》は絶句《ぜっく》して固《かた》まった。

「あなたは鉄棒《てつぼう》に足《あし》を引《ひ》っかけて逆《さか》さになった姿《すがた》を、ピンホール現象《げんしょう》を利用《りよう》して体育館《たいいくかん》

のバスケットゴールに映《うつ》し出《だ》した。そうですね？」

真実《しんじつ》がそう言《い》うと、取部《とりぶ》は観念《かんねん》したのか、自分《じぶん》がやったことを認《みと》めた。

健太《けんた》は、うつむいている取部《とりぶ》にそっと声《こえ》をかけた。

「……どうしてバスケ部《ぶ》で活躍《かつやく》していた取部《とりぶ》さんが、そんなことを……」

「流山《ながれやま》くんが転校《てんこう》してきて、オレはどんなに練習《れんしゅう》しても、あいつに追《お》いつけなかった。調子《ちょうし》も悪《わる》くなりレギュラーからはずされて、部活《ぶかつ》もやめた。くやしくて、くやしくて……。そんなとき、理科《りか》の授業《じゅぎょう》で習《なら》ったピンホール現象《げんしょう》を使《つか》って、流山《ながれやま》くんをおどかすことを思《おも》いついたんだ。情《なさ》けないよな。何《なん》でオレはこんなことを……」

取部《とりぶ》は声《こえ》を震《ふる》わせながら、正直《しょうじき》にすべてを告白《こくはく》した。


1か月後《げつご》。真実《しんじつ》たちは、バスケットボール大会《たいかい》の観客席《かんきゃくせき》にいた。コートには、縦横《じゅうおう》無尽《むじん》に活躍《かつやく》する流山《ながれやま》が、そしてベンチには、補欠《ほけつ》として声援《せいえん》を送《おく》る取部《とりぶ》の姿《すがた》があった。

事件《じけん》のあと、取部《とりぶ》は流山《ながれやま》に謝罪《しゃざい》した。そして部長《ぶちょう》の長田《おさだ》や部員《ぶいん》たちにも謝《あやま》り、バスケ部《ぶ》への復帰《ふっき》を許《ゆる》されたのだ。

流山《ながれやま》は意外《いがい》にも怒《おこ》らず、取部《とりぶ》に言葉《ことば》をかけた。

「取部《とりぶ》くんのプレーのすごさを知《し》っていたから、もっときみから学《まな》びたいと思《おも》っていたんだ。またいっしょにバスケ部《ぶ》を強《つよ》くしようよ」

取部《とりぶ》は流山《ながれやま》のやさしい言葉《ことば》に、改《あらた》めて心《こころ》の底《そこ》から自分《じぶん》の行《おこな》いを恥《は》じた。そして自分《じぶん》のためだけでなく、バスケ部《ぶ》のためにもがんばろうと心《こころ》に誓《ちか》ったのだ。

試合《しあい》の残《のこ》り時間《じかん》がわずかになったとき、監督《かんとく》から取部《とりぶ》に声《こえ》がかかった。

流山《ながれやま》は華麗《かれい》なドリブルで相手《あいて》をかわし、取部《とりぶ》にパスを出《だ》す。

取部《とりぶ》がスリーポイントシュートを放《はな》つと、ボールは美《うつく》しい弧《こ》を描《えが》き、ゴールに吸《す》いこまれた。

「やった〜〜〜っ!!」

健太《けんた》は、思《おも》わず声《こえ》をあげて席《せき》から立《た》ち上《あ》がり、ガッツポーズをした。

コートでは、笑顔《えがお》でハイタッチをかわす流山《ながれやま》と取部《とりぶ》の姿《すがた》があった。

「体育館《たいいくかん》に浮《う》かぶ生首《なまくび》」終《お》わり

カメラをつくって「ピンホール現象《げんしょう》」で遊《あそ》ぼう！

「ピンホール現象《げんしょう》」は、紀元前《きげんぜん》の時代《じだい》から知《し》られていたようです。中世《ちゅうせい》の画家《が》はこの現象《げんしょう》を使《つか》って、外《そと》の景色《けしき》を屋内《おく》《ない》に映《うつ》し出《だ》し、絵《え》の下描《したが》きにしていました。

さらに、ピンホール（穴《あな》）にレンズをはめることで、よりあざやかな画像《がぞう》を映《うつ》し出《だ》せるようになり、やがて、現在《げんざい》のカメラへと発展《はってん》していきました。

まわりの景色《けしき》が
中《なか》で逆《さか》さまに
映《うつ》って見《み》えるよ！
できるだけ日差《ひざ》しが
強《つよ》いときにやると、
よく見《み》えるよ

用意《ようい》するもの

黒《くろ》い画用紙《がようし》、トレーシングペーパー、アルミホイル、セロハンテープ、のり、はさみなど

つくり方《かた》

1 黒《くろ》い画用紙《がようし》を巻《ま》いて2本《ほん》の筒《つつ》をつくる

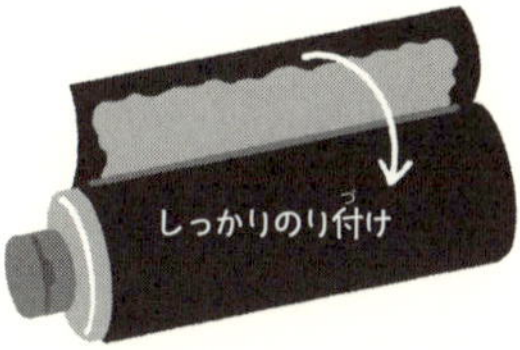

ボトルなどを芯《しん》にして、
黒《くろ》い画用紙《がようし》を巻《ま》き付《つ》けると、
筒《つつ》がつくりやすいよ

13cmぐらい

筒《つつ》の片側《かたがわ》に
アルミホイルをかぶせて
光《ひかり》がもれないようテープで留《と》める

中心《ちゅうしん》につまようじなどで、
小《ち》さな穴《あな》を開《あ》ける

15cmぐらい

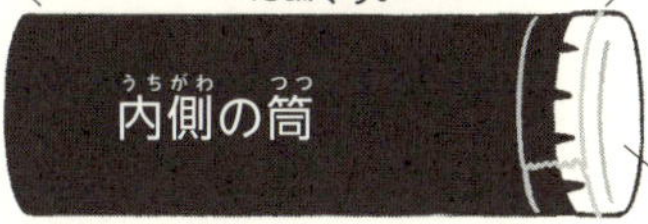

外側《そとがわ》の筒《つつ》より
少《すこ》しだけ
細《ほそ》くつくろう

外側《そとがわ》の筒《つつ》より長《なが》めにつくろう

筒《つつ》の片側《かたがわ》に
トレーシングペーパーを
しわにならないようにかぶせて
テープで留《と》める

2 外側《そとがわ》の筒《つつ》の中《なか》に内側《うちがわ》の筒《つつ》を入《い》れるとできあがり

こちらから
のぞこう！

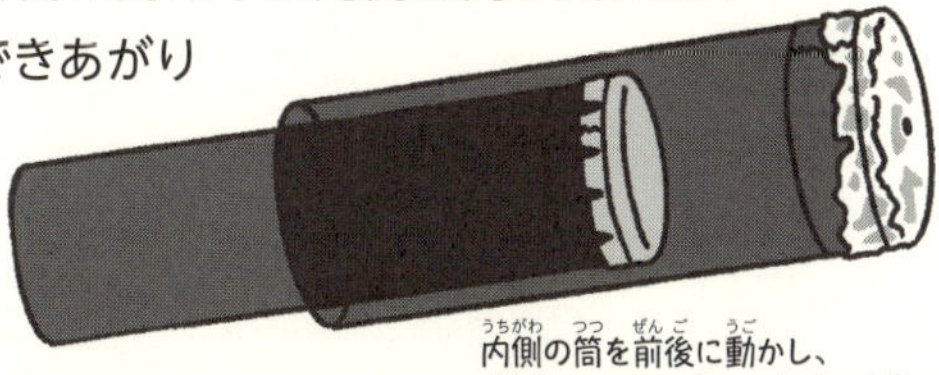

内側《うちがわ》の筒《つつ》を前後《ぜんご》に動《うご》かし、
景色《けしき》がくっきり見《み》える位置《いち》を探《さが》そう

怪奇事件《かいきじけん》ファイル4

神通力《じんつうりき》を使《つか》う僧《そう》

風《かぜ》の強《つよ》い夜《よる》だった。

町《まち》はずれの古《ふる》びたお寺《てら》には、すきま風《かぜ》が吹《ふ》きこみ、戸《と》がカタカタと不気味《ぶきみ》な音《おと》を立《た》てている。母屋《おもや》で寝《ね》ていた僧侶《そうりょ》の泰源《たいげん》は、自分《じぶん》の名《な》を呼《よ》ぶ、かすかな声《こえ》を耳《みみ》にして、目《め》を覚《さ》ました。

見《み》ると、闇《やみ》の中《なか》に、ユラユラと揺《ゆ》れながら、青白《あおじろ》い何《なに》かが浮《う》かんでいる。

「お父《とう》さん……？」

泰源《たいげん》は、思《おも》わずつぶやいた。

闇《やみ》に浮《う》かんでいたのは、亡《な》き父《ちち》の顔《かお》だったのだ。


1か月後《げつご》。ところ変《か》わって、こちらは花森小学校《はなもりしょうがっこう》。

放課後《ほうかご》の図書室《としょしつ》で、謎野真実《なぞのしんじつ》は、読書《どくしょ》にふけっていた。その横《よこ》で、宮下健太《みやしたけんた》は、宿題《しゅくだい》に取《と》り組《く》んでいる。学校《がっこう》の図書室《としょしつ》は、ゲームやマンガなどの誘惑《ゆうわく》もなく、とても静《しず》かだ。家《いえ》で宿題《しゅくだい》をやるより、はるかに集中《しゅうちゅう》できる。

ところがそのとき、静《しず》けさを破《やぶ》って、青井美希《あおいみき》がかけこんできた。

「真実《しんじつ》くん、健太《けんた》くん、ここにいたの。捜《さが》したわよ」

「えっ、また何《なに》か事件《じけん》の依頼《いらい》？」

健太《けんた》は、宿題《しゅくだい》をしていたこともコロッと忘《わす》れ、腰《こし》を浮《う》かせながら興味津々《きょうみしんしん》の顔《かお》で美希《みき》に問《と》い返《かえ》した。

「とりあえず、外《そと》で話《はなし》を聞《き》こうか」

真実《しんじつ》は、健太《けんた》と美希《みき》をうながし、図書室《としょしつ》の外《そと》に出《で》た。

「実《じつ》はね、さまざまな奇跡《きせき》を起《お》こすお坊《ぼう》さんがいるらしいの。何《なん》でも、修行《しゅぎょう》により神通《じんつう》力《りき》を手《て》に入《い》れた、と言《い》っているそうよ」

図書室《としょしつ》の外《そと》の廊下《ろうか》で、美希《みき》は、息《いき》をはずませながら切《き》り出《だ》す。

「神通力《じんつうりき》？」

健太《けんた》が首《くび》をかしげると、真実《しんじつ》は言《い》った。

「神通力《じんつうりき》とは、まあ、超能力《ちょうのうりょく》のようなものさ」

「へえ。すごいお坊《ぼう》さんだねえ」

健太《けんた》は素直《すなお》に感心《かんしん》したが、真実《しんじつ》はまゆをひそめた。

「神通力《じんつうりき》などと称《しょう》しているものには、必《かなら》ず何《なに》か裏《うら》があると、ぼくは思《おも》うね」

「そう、そこよ！」

美希《みき》によると、依頼人《いらいにん》は、僧侶《そうりょ》の神通力《じんつうりき》がインチキではないかと疑《うたが》っているという。

そして、美希《みき》が運営《うんえい》するホームページに調査《ちょうさ》を依頼《いらい》してきたのだ。

「もしインチキで人々《ひとびと》をだましているのだとしたら、許《ゆる》せない話《はなし》よね。真実《しんじつ》くん、ぜひとも、僧侶《そうりょ》の力《ちから》がホンモノかどうか、見極《みきわ》めてほしいの！」


週末《しゅうまつ》。

真実《しんじつ》、健太《けんた》、美希《みき》の3人《にん》は、依頼人《いらいにん》の安田《やすだ》さんと待《ま》ち合《あ》わせて、町《まち》はずれの古寺《ふるでら》へとやってきた。安田《やすだ》さんは、その寺《てら》に先祖代々《せんぞだいだい》のお墓《はか》がある檀家《だんか》の1人《ひとり》で、白髪《しらが》のおじいさんだ。

寺《てら》には、小柄《こがら》で丸顔《まるがお》の、いかにも実直《じっちょく》そうな僧侶《そうりょ》の姿《すがた》があった。

「あの人《ひと》が……神通力《じんつうりき》を使《つか》うお坊《ぼう》さん？」

意外《いがい》に思《おも》い、美希《みき》が尋《たず》ねると、「いいえ、違《ちが》います」と、安田《やすだ》さんは答《こた》える。

「あの方《かた》は泰源《たいげん》さんといって、このお寺《てら》のご住職《じゅうしょく》でして……檀家《だんか》の人《ひと》につくしてくれる、やさしいお坊《ぼう》さんです。ただ、人《ひと》がよすぎるんですよねえ。神通力《じんつうりき》があると言《い》っている、もう1人《ひとり》の坊《ぼう》さんに、だまされてるんじゃないかと……」

安田《やすだ》さんは、そう言《い》って一方《いっぽう》を指《ゆび》さす。そこには、人《ひと》だかりができていた。その中央《ちゅうおう》に、泰源《たいげん》とは対照的《たいしょうてき》な、筋肉質《きんにくしつ》で体《からだ》の大《おお》きな僧侶《そうりょ》の姿《すがた》があった。

「あいつは……！」

美希《みき》は、思《おも》わず叫《さけ》んだ。

神通力《じんつうりき》を手《て》に入《い》れ、さまざまな奇跡《きせき》を起《お》こすといううわさの僧侶《そうりょ》……それは、真実《しんじつ》たちがかつて「妖魔《ようま》の村《むら》」事件《じけん》のときに出会《であ》った、完全寺満夫《かんぜんじみつお》だったのだ。妖怪騒動《ようかいそうどう》におびえる村人《むらびと》たちにおふだを売《う》りつけて金《かね》もうけをたくらむなど、完全寺《かんぜんじ》は、当時《とうじ》からあやしい行動《こうどう》が目立《めだ》っていた。

「今回《こんかい》も、きっとインチキをして、金《かね》もうけをしようとたくらんでいるに違《ちが》いないわ！真実《しんじつ》くん、ヤツのインチキ、チャッチャと暴《あば》いてやっちゃって！」

美希《みき》が声《こえ》を張《は》りあげたそのとき、人《ひと》だかりの中《なか》にいた完全寺《かんぜんじ》が振《ふ》り向《む》き、ギロリとこちらをにらんだ。

「神通力《じんつうりき》をインチキ呼《よ》ばわりするとは、片腹痛《かたはらいた》い。そういうことを言《い》い出《だ》すのは、わたしが起《お》こす奇跡《きせき》の瞬間《しゅんかん》を目《ま》の当《あ》たりにしてからにしていただきたい」

完全寺《かんぜんじ》は、自信満々《じしんまんまん》に言《い》い切《き》り、檀家《だんか》の人々《ひとびと》から、7枚《まい》の1円玉《えんだま》を集《あつ》めた。

「今《いま》からわたしの神通力《じんつうりき》で、この1円玉《えんだま》をすべて、水《みず》に浮《う》かせてみせよう」

完全寺《かんぜんじ》は、泰源《たいげん》に命《めい》じて水《みず》を張《は》ったたらいを用意《ようい》させると、1円玉《えんだま》を次々《つぎつぎ》と水面《すいめん》に置《お》く。7枚《まい》の1円玉《えんだま》は自然《しぜん》に集《あつ》まり、花《はな》のような形《かたち》になり水《みず》に浮《う》いた。

「どうだ。わたしの手《て》にかかれば、金属《きんぞく》の1円玉《えんだま》でも水《みず》に浮《う》く。それだけではない。この1円玉《えんだま》に指一本触《ゆびいっぽんふ》れず、いっせいに水底《みなそこ》に落《お》としてみせるぞ」

完全寺《かんぜんじ》は、そう言《い》うと、たらいの上《うえ》に手《て》をかざし、「ハアアッ」と気《き》をこめた。すると、浮《う》いていた1円玉《えんだま》は、いっせいに水底《みなそこ》までしずんだのだった。

「すごい！」「完全寺《かんぜんじ》さまのお力《ちから》は、ホンモノだ！」と、人々《ひとびと》はどよめく。

健太《けんた》も美希《みき》も、思《おも》わず目《め》を見開《みひら》いて、この光景《こうけい》に見入《みい》った。

しかし真実《しんじつ》は、すぐに完全寺《かんぜんじ》のトリックを見破《みやぶ》った。

「そもそも、1円玉《えんだま》は水《みず》に浮《う》く。平《たい》らにして水面《すいめん》にそっと置《お》けば、浮力《ふりょく》と、水《みず》の表面《ひょうめん》張力《ちょうりょく》が働《はたら》いて、浮《う》かせることができるんです」

真実《しんじつ》はそう説明《せつめい》した。

「表面張力《ひょうめんちょうりょく》？」と、健太《けんた》が問《と》い返《かえ》す。

「水《みず》などの液体《えきたい》の分子《ぶんし》が表面積《ひょうめんせき》を小《ちい》さくしようと引《ひ》っ張《ぱ》り合《あ》う力《ちから》を、表面張力《ひょうめんちょうりょく》というんだ。これらの力《ちから》で金属《きんぞく》の1円玉《えんだま》も浮《う》かせることができる。しかし、そこに、表面張力《ひょうめんちょうりょく》を下《さ》げる物質《ぶっしつ》……たとえば洗剤《せんざい》などが加《くわ》わると、1円玉《えんだま》はたちまちしずんでしまう」

「そうか、わかったぞ！　それじゃ、浮《う》いていた1円玉《えんだま》がしずんだのは……」

「そう。完全寺《かんぜんじ》さんは、洗剤《せんざい》をあらかじめ、隠《かく》し持《も》っていた。たらいの上《うえ》に手《て》をかざし、気《き》をこめるふりをして、その洗剤《せんざい》を数滴《すうてき》、水《みず》に垂《た》らしたんだ」

「だから1円玉《えんだま》は、いっせいに水底《みなそこ》にしずんだんだね」

「なんだ、そういうことだったのか」

「ただのインチキじゃないか」

真実《しんじつ》の解説《かいせつ》を聞《き》いて、檀家《だんか》の人々《ひとびと》は口々《くちぐち》に言《い》い、帰《かえ》っていこうとした。

「あいや、待《ま》たれよ！」

完全寺《かんぜんじ》は、人々《ひとびと》を呼《よ》び止《と》め、泰源《たいげん》に命《めい》じた。

「泰源《たいげん》、あれを持《も》ってまいれ」

泰源《たいげん》は、もともとこの寺《てら》の住職《じゅうしょく》なのだが、今《いま》ではすっかり完全寺《かんぜんじ》の弟子《でし》のような存在《そんざい》に成《な》り果《は》てている。完全寺《かんぜんじ》のトリックが真実《しんじつ》によって暴《あば》かれた今《いま》も、いっさい疑《うたが》いを持《も》たず、「はい」と答《こた》えて、寺《てら》の中《なか》から、あるものを持《も》って戻《もど》ってきた。

あるもの……それは、色《いろ》とりどりの風船《ふうせん》だった。

完全寺《かんぜんじ》は、両手《りょうて》の親指《おやゆび》と人差《ひとさ》し指《ゆび》を合《あ》わせて、円《えん》の形《かたち》をつくると、その手《て》を風船《ふうせん》に向《む》けて、「ハアアッ」と気《き》をこめた。このとき、太陽《たいよう》を背《せ》にして立《た》っていた完全寺《かんぜんじ》の後頭《こうとう》部《ぶ》は、その光《ひかり》を浴《あ》びて、後光《ごこう》が差《さ》したように輝《かがや》く。

……と、次《つぎ》の瞬間《しゅんかん》、パン！　パパン！　パン！

手《て》を触《ふ》れたわけでもないのに、風船《ふうせん》は次々《つぎつぎ》と割《わ》れていった。

人々《ひとびと》は、「おおっ！」と、どよめく。

「これでわかっただろう？　わたしの神通力《じんつうりき》は、ホンモノだ！　わたしが気《き》をこめた開《かい》

運《うん》のおふだ、今《いま》なら特別価格《とくべつかかく》、1万円《まんえん》で進《しん》ぜよう！」

完全寺《かんぜんじ》が手《て》にしたおふだに、人々《ひとびと》は群《むら》がる。

しかし、ここで真実《しんじつ》が、またしても「待《ま》った」をかけた。

真実《しんじつ》は、この奇跡《きせき》も、トリックだと見破《みやぶ》ったのだった。

「完全寺《かんぜんじ》さん、あなたが風船《ふうせん》を割《わ》ったのは、気《き》の力《ちから》ではない。太陽熱《たいようねつ》だ」

真実《しんじつ》は、そう言《い》って、完全寺《かんぜんじ》と向《む》き合《あ》った。

「虫《むし》メガネなどの凸《とつ》レンズは、光《ひかり》を一点《いってん》に集《あつ》めることができ、その光《ひかり》が生《う》む熱《ねつ》は、ゴムをほんの数秒《すうびょう》で焼《や》いてしまう力《ちから》がある。完全寺《かんぜんじ》さん、あなたは、両手《りょうて》でつくった輪《わ》の中《なか》に、虫《むし》メガネのレンズを隠《かく》し持《も》っていた。そのレンズで光《ひかり》を集《あつ》め、風船《ふうせん》の一点《いってん》を燃《も》やし、割《わ》った。……違《ちが》いますか？」

「……！」

完全寺《かんぜんじ》のあぶらぎったひたいからは、冷《ひ》や汗《あせ》が流《なが》れた。

だが、それでもなお、ふてぶてしい態度《たいど》をくずさなかった。

「言《い》いがかりもたいがいにしろ！　わたしは、レンズを隠《かく》し持《も》ってなど……」

しかし、言《い》っているそばからポロリ！

袈裟《けさ》（お坊《ぼう》さんの服《ふく》）のそでから、隠《かく》し持《も》っていたレンズが転《ころ》がり落《お》ちる。

「わわっ、しまった！」

完全寺《かんぜんじ》は、大《おお》あわてでレンズを拾《ひろ》ったが、あとの祭《まつ》りだった。

「やっぱりレンズを持《も》ってたじゃないか！」

「インチキだ！」

これまでおふだを売《う》りつけられた人々《ひとびと》は怒《おこ》り、金《かね》を返《かえ》せと完全寺《かんぜんじ》にせまる。

「ああ、みなさん、どうか落《お》ち着《つ》いてください」

寺《てら》の住職《じゅうしょく》である泰源《たいげん》は、騒然《そうぜん》となった檀家《だんか》の人々《ひとびと》を必死《ひっし》でなだめた。

すると、檀家《だんか》の1人《ひとり》が泰源《たいげん》のもとに歩《あゆ》み寄《よ》る。

依頼人《いらいにん》の安田《やすだ》さんだった。

「泰源《たいげん》さん、いいかげん、目《め》を覚《さ》ましなさい。あの男《おとこ》に神通力《じんつうりき》などない。あんたは、だまされてるんだ」

完全寺《かんぜんじ》を今《いま》すぐ寺《てら》から追《お》い出《だ》すよう、安田《やすだ》さんは泰源《たいげん》に言《い》う。

「いえ、ですが、しかし……」

泰源《たいげん》が、なおもためらっていると、2人《ふたり》のあいだに、完全寺《かんぜんじ》が割《わ》って入《はい》ってきた。

「そんなことをしたら、父親《ちちおや》が悲《かな》しむ。……そうだろう、泰源《たいげん》？」

「父親《ちちおや》が悲《かな》しむ？　いったいどういうことだ？　泰源《たいげん》さん、あんたのお父《とう》さんは、何年《なんねん》も前《まえ》に亡《な》くなったはずじゃ……」

驚《おどろ》いて問《と》い返《かえ》す安田《やすだ》さんに、泰源《たいげん》は答《こた》える。

「はい。ですが、わたし、見《み》たんです。あれは……父《ちち》の幽霊《ゆうれい》でした」

「幽霊《ゆうれい》!?」

健太《けんた》と美希《みき》は、思《おも》わず声《こえ》を張《は》りあげた。

「わたしが完全寺《かんぜんじ》さまを信《しん》じ、寺《てら》に住《す》んでいただくことにしたのは、幽霊《ゆうれい》となって現《あらわ》れた父《ちち》のお告《つ》げがあったからなんです」

泰源《たいげん》は言《い》った。

「1か月《げつ》ぐらい前《まえ》でしょうか。夜《よる》、わたしが寝《ね》ていると、闇《やみ》の中《なか》に、青白《あおじろ》い父《ちち》の顔《かお》が浮《う》かび上《あ》がったんです。父《ちち》は、わたしに言《い》いました。『間《ま》もなく、この寺《てら》に、1人《ひとり》の僧侶《そうりょ》

が現《あらわ》れる。その僧侶《そうりょ》は、貧乏《びんぼう》な寺《てら》を救《すく》う救世主《きゅうせいしゅ》となるお方《かた》だから、手厚《てあつ》くもてなし、この寺《てら》に住《す》まわせるように』——と」

翌日《よくじつ》、寺《てら》に、完全寺《かんぜんじ》が現《あらわ》れた。神通力《じんつうりき》を持《も》った徳《とく》の高《たか》い僧侶《そうりょ》だと聞《き》いて、泰源《たいげん》は、完《かん》全寺《ぜんじ》こそが父《ちち》のお告《つ》げにあった救世主《きゅうせいしゅ》に違《ちが》いない、と思《おも》ったという。

「闇《やみ》に浮《う》かんだお父《とう》さんの顔《かお》は、どんなふうに見《み》えていたんですか？」

真実《しんじつ》が尋《たず》ねると、泰源《たいげん》は、そのときのようすを詳《くわ》しく語《かた》る。

「父《ちち》の顔《かお》は……ユラユラと揺《ゆ》れていました。ときおり、ぐにゃりとゆがんだり、上下《じょうげ》2つになったり、あれは、まるで……しんきろうのような……」

「しんきろう？　しんきろうって何《なに》？」

問《と》いかけてきた健太《けんた》に、真実《しんじつ》は解説《かいせつ》する。

「しんきろうは、砂漠《さばく》や海《うみ》などで見《み》られる現象《げんしょう》さ。温度《おんど》の変化《へんか》によって大気《たいき》に密度《みつど》の差《さ》ができると、光《ひかり》の屈折《くっせつ》で、地上《ちじょう》の風景《ふうけい》が空中《くうちゅう》に浮《う》き上《あ》がって見《み》えたり、逆《さか》さまに見《み》えたりするんだ。本来《ほんらい》なら地平線《ちへいせん》や水平線《すいへいせん》に隠《かく》れて見《み》えない風景《ふうけい》や船《ふね》なども、浮《う》き上《あ》がって見《み》えることがあるんだ」

真実《しんじつ》によると、しんきろうは、光《ひかり》の屈折《くっせつ》によってできた幻影《げんえい》であり、実像《じつぞう》ではない。そのため、ゆがんだり、二重《にじゅう》になったり、たえず形《かたち》が変化《へんか》するという。

真実《しんじつ》は、泰源《たいげん》に頼《たの》んで、父親《ちちおや》の幽霊《ゆうれい》が現《あらわ》れた部屋《へや》へ案内《あんない》してもらった。

部屋《へや》の中《なか》には、父親《ちちおや》の遺影《いえい》、空《から》の水槽《すいそう》、デスクライトがあった。それを見《み》た真実《しんじつ》は、これらを使《つか》って、闇《やみ》に浮《う》かぶ父《ちち》の幽霊《ゆうれい》を出現《しゅつげん》させることができると言《い》った。

「泰源《たいげん》さん、あなたが見《み》たものは、まさに、しんきろうだったんです」

真実《しんじつ》の言葉《ことば》に、泰源《たいげん》は、目《め》を丸《まる》くする。

「えっ、しんきろう!? でも、しんきろうって、砂漠《さばく》や海《うみ》にできるものなんじゃ……」

「しんきろうは、人工的《じんこうてき》につくり出《だ》すこともできるんです。この水槽《すいそう》に水《みず》を張《は》り、そこにあるものを入《い》れれば、闇《やみ》に浮《う》かぶお父《とう》さんの顔《かお》のしんきろうを出現《しゅつげん》させることができるんですよ」

はたして、真実《しんじつ》の言《い》う「あるもの」とは、次《つぎ》のうちどれだろう?

砂《すな》　塩《しお》　ビー玉《だま》

解決編《かいけつへん》

「あるもの……それは塩《しお》さ」

真実《しんじつ》が言《い》うと、「塩《しお》?」「塩《しお》だって?」と、人々《ひとびと》がささやく声《こえ》が返《かえ》ってきた。

いつの間《ま》にか泰源《たいげん》の部屋《へや》には、檀家《だんか》の人々《ひとびと》や安田《やすだ》さん、完全寺《かんぜんじ》までもがつめかけて、ひしめき合《あ》っていたのである。

「闇《やみ》に浮《う》かぶ幽霊《ゆうれい》の顔《かお》は、水槽《すいそう》の水《みず》と塩《しお》がつくり出《だ》した幻影《げんえい》……しんきろうだったんです。ぼくが、今《いま》からそれを再現《さいげん》してみせますよ」

真実《しんじつ》は部屋《へや》を暗《くら》くするため、雨戸《あまど》を閉《し》め切《き》った。そして、棚《たな》の上《うえ》に置《お》かれた泰源《たいげん》の父《ちち》

の遺影《いえい》の前《まえ》に、水《みず》を張《は》った水槽《すいそう》を置《お》く。さらに、その水槽《すいそう》に光《ひかり》が当《あ》たるよう、机《つくえ》に置《お》かれたデスクライトの位置《いち》を調節《ちょうせつ》した。

「泰源《たいげん》さん、塩《しお》を持《も》ってきていただけますか？」

「は……はい」

泰源《たいげん》が持《も》ってきた袋入《ふくろい》りの塩《しお》を、真実《しんじつ》は、水槽《すいそう》の中《なか》に大量《たいりょう》に投入《とうにゅう》した。

しばらく待《ま》っていると、水槽《すいそう》のうしろに見《み》えていた遺影《いえい》の父親《ちちおや》の顔《かお》が、ユラユラと揺《ゆ》れはじめる。

やがて、その顔《かお》は、ぐにゃりとつぶれた……と、見《み》る間《ま》に、上下《じょうげ》2つに分《わ》かれ、上《うえ》の顔《かお》が逆《さか》さまになる。

「これです！　わたしが見《み》た父《ちち》の幽霊《ゆうれい》は、これと

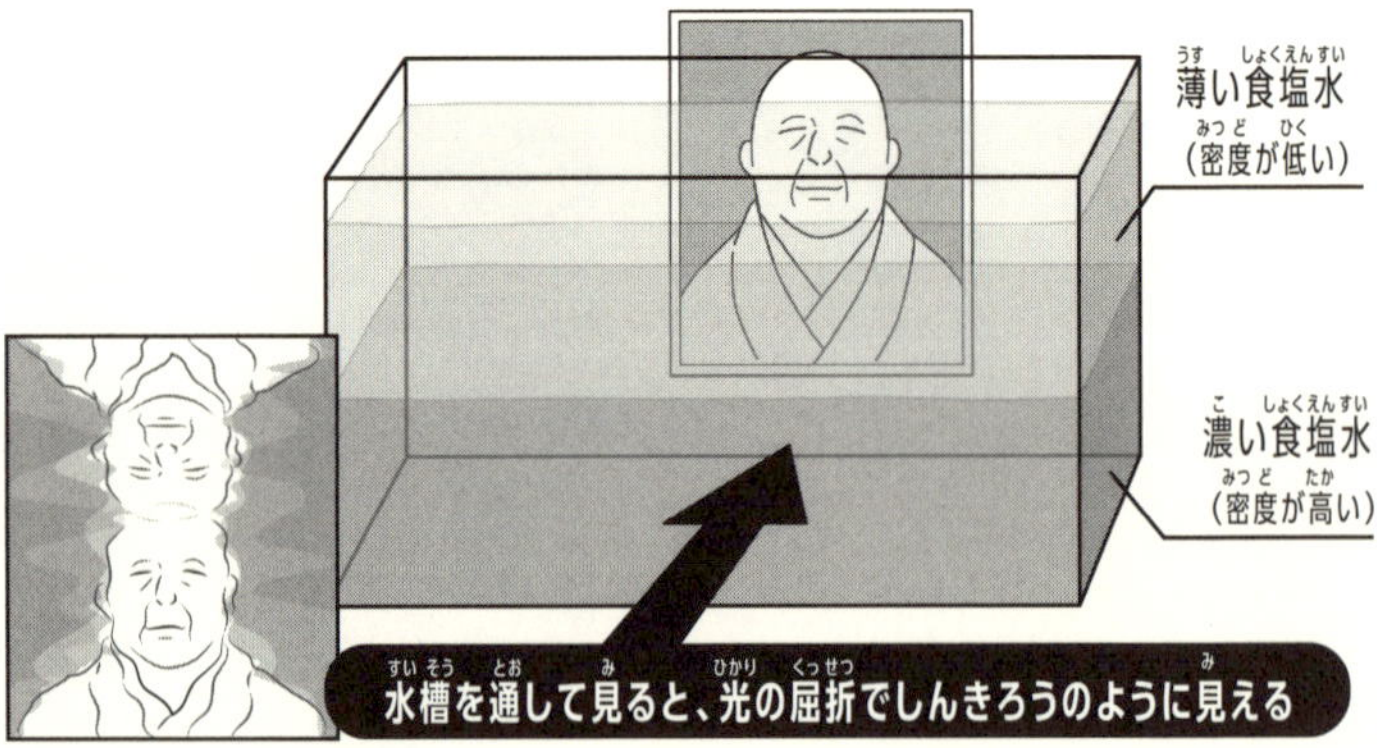
薄《うす》い食塩水《しょくえんすい》
（密度《みつど》が低《ひく》い）
濃《こ》い食塩水《しょくえんすい》
（密度《みつど》が高《たか》い）
水槽《すいそう》を通《とお》して見《み》ると、光《ひかり》の屈折《くっせつ》でしんきろうのように見《み》える

同《おな》じものでした！」

目《め》の前《まえ》の光景《こうけい》を見《み》て、泰源《たいげん》は叫《さけ》んだ。

「水槽《すいそう》に食塩《しょくえん》を入《い》れて、静《しず》かに置《お》いて自然《しぜん》に溶《と》けるようにすると、水槽《すいそう》の上《うえ》の部分《ぶぶん》は薄《うす》く、下《した》の部分《ぶぶん》は濃《こ》い食塩水《しょくえんすい》ができあがる。この液体《えきたい》は、密度《みつど》に差《さ》がある大気《たいき》と同《おな》じで、光《ひかり》を屈折《くっせつ》させる。そして、しんきろうを出現《しゅつげん》させることができるんです」

真実《しんじつ》が説明《せつめい》すると、「なるほど、そういうことだったんですか」と、泰源《たいげん》はうなずいた。

「しかし、いったい誰《だれ》が、何《なん》のために、そんなことを？」

檀家《だんか》の安田《やすだ》さんが、低《ひく》い声《こえ》でつぶやく。

「目的《もくてき》は、泰源《たいげん》さんにお父《とう》さんの幽霊《ゆうれい》を見《み》せ、お告《つ》げを信《しん》じこませて、この寺《てら》に住《す》みつくことです」

真実《しんじつ》に指摘《してき》され、完全寺《かんぜんじ》はギクリとする。

一同《いちどう》の刺《さ》すような視線《しせん》が、完全寺《かんぜんじ》ただ1人《ひとり》に注《そそ》がれた。

バツが悪《わる》そうにうつむく完全寺《かんぜんじ》の前《まえ》へ、真実《しんじつ》は歩《あゆ》み寄《よ》り、そして言《い》った。

「しんきろうのトリックを使《つか》って、この部屋《へや》に泰源《たいげん》さんのお父《とう》さんの幽霊《ゆうれい》を出現《しゅつげん》させたのは、完全寺《かんぜんじ》さん、あなたですね？」

「やっぱり、あんただったのか。人《ひと》のよい泰源《たいげん》さんをだまして、寺《てら》に住《す》みつき、檀家《だんか》の人《ひと》たちにおふだを売《う》りつけ、金《かね》もうけをたくらむとは、なんてヤツだ！」

安田《やすだ》さんが息巻《いきま》くと、ほかの人々《ひとびと》も口々《くちぐち》に、金《かね》を返《かえ》せと完全寺《かんぜんじ》にせまった。

「わかった、わかった……返《かえ》しゃあいいんだろ？」

分《ぶ》が悪《わる》くなった完全寺《かんぜんじ》は、だまし取《と》った金《かね》を投《な》げ捨《す》てると、スタコラサッサと、その場《ば》を逃《に》げ出《だ》していった。

「……申《もう》し訳《わけ》ありませんでした！」

泰源《たいげん》は、檀家《だんか》の人《ひと》たちの前《まえ》で手《て》をついて謝《あやま》った。

「いや、悪《わる》いのは泰源《たいげん》さん、あんたじゃない。あの完全寺《かんぜんじ》とかいう生臭坊主《なまぐさぼうず》だ」

「そうとも。……けど、あの男《おとこ》、いったい何者《なにもの》なんだ？」

そこに、年老《としお》いた泰源《たいげん》の母親《ははおや》が現《あらわ》れた。

「あの人《ひと》は、昔《むかし》、あなたのお父《とう》さんの代《だい》だったころ、このお寺《てら》で修行《しゅぎょう》をしていた見習《みならい》のお坊《ぼう》さんですよ」

完全寺《かんぜんじ》が寺《てら》にいたのはずいぶん昔《むかし》のことだったので、今《いま》まで気《き》づかなかったが、逃《に》げていくうしろ姿《すがた》を見《み》て、母親《ははおや》は、ようやくその正体《しょうたい》に気《き》づいたという。

「なるほど。昔《むかし》このお寺《てら》にいた人《ひと》なら、お父《とう》さんの声《こえ》や話《はな》し方《かた》をマネて、幽霊《ゆうれい》を装《よそお》うことも可能《かのう》ですね」

真実《しんじつ》が言《い》うと、母親《ははおや》は、ころころと笑《わら》う。

「あの人《ひと》、昔《むかし》から、そういうことばかりに知恵《ちえ》が回《まわ》るなまけ者《もの》でねえ。お寺《てら》の修行《しゅぎょう》がつらかったのか、あのときも、たった1か月《げつ》で逃《に》げ出《だ》してしまったんですよ」

「そんな人《ひと》を、この寺《てら》の救世主《きゅうせいしゅ》と思《おも》いこんでしまうなんて……」

泰源《たいげん》は、深《ふか》く落《お》ちこむ。

しかし、悪《わる》いことだけではなかった。

お寺《てら》が財政難《ざいせいなん》でピンチに立《た》たされていることを知《し》った檀家《だんか》の人々《ひとびと》は、みな、泰源《たいげん》に同《どう》情《じょう》したのである。

「泰源《たいげん》さんには、今《いま》までいろいろと世話《せわ》になってきたからなあ」

「さ、これでお母《かあ》さんに、お米《こめ》でも買《か》ってあげなさい」

人々《ひとびと》は、そう言《い》って、完全寺《かんぜんじ》にだまし取《と》られそうになった金《かね》を、すべてお寺《てら》に寄付《きふ》してくれたのだった。

「ううう……ありがとうございます。みなさん、本当《ほんとう》にありがとう……」

泰源《たいげん》は、これからも、人々《ひとびと》につくす良《よ》き僧侶《そうりょ》であり続《つづ》けることを心《こころ》に誓《ちか》うのだった。

泰源《たいげん》と檀家《だんか》の人々《ひとびと》の心温《こころあたた》まる姿《すがた》を見《み》て、真実《しんじつ》、健太《けんた》、美希《みき》はほほえんだ。

「神通力《じんつうりき》を使《つか》う僧《そう》」終《お》わり

不思議《ふしぎ》な「しんきろう」

しんきろうは、光《ひかり》の屈折《くっせつ》が生《う》む不思議《ふしぎ》な景色《けしき》です。実際《じっさい》はそこにない場所《ばしょ》に、像《ぞう》（虚《きょ》像《ぞう》）が現《あらわ》れるのを、昔《むかし》の人《ひと》は妖怪《ようかい》のしわざだと考《かんが》えていました。

日本《にほん》では、富山県《とやまけん》の魚津市《うおづし》が、しんきろうのよく見《み》える場所《ばしょ》として有名《ゆうめい》です。

身近《みぢか》なしんきろう「逃《に》げ水《みず》」

夏《なつ》の暑《あつ》い日《ひ》、道路《どうろ》の先《さき》に水《みず》もないのに水《みず》たまりのように見《み》える現象《げんしょう》がある。

これも、「逃《に》げ水《みず》」という、しんきろうの一種《いっしゅ》だ。

空《そら》の景色《けしき》が、道路《どうろ》の上《うえ》の熱《あつ》い空気《くうき》に曲《ま》げられて道路《どうろ》の場所《ばしょ》にあるように見《み》えるので、その場所《ばしょ》に水《みず》たまりがあり、そこに空《そら》が映《うつ》っていると錯覚《さっかく》するのだ。

南極《なんきょく》で見《み》えたしんきろう

南極《なんきょく》では、海面《かいめん》や地表《ちひょう》が冷《つめ》たく、空気《くうき》の温度《おんど》との差《さ》ができやすいので、しんきろうがよく見《み》られる

暖《あたた》かい空気《くうき》と冷《つめ》たい空気《くうき》との境目《さかいめ》で光《ひかり》が曲《ま》がる

光《ひかり》は空気《くうき》の密度《みつど》の違《ちが》う層《そう》の境目《さかいめ》を通《とお》るときに曲《ま》がる性質《せいしつ》がある。温度《おんど》が違《ちが》うと、空気《くうき》の密度《みつど》が変《か》わる
だから、空気《くうき》の温度《おんど》の差《さ》が大《おお》きいほど光《ひかり》はよく曲《ま》がるんだ。

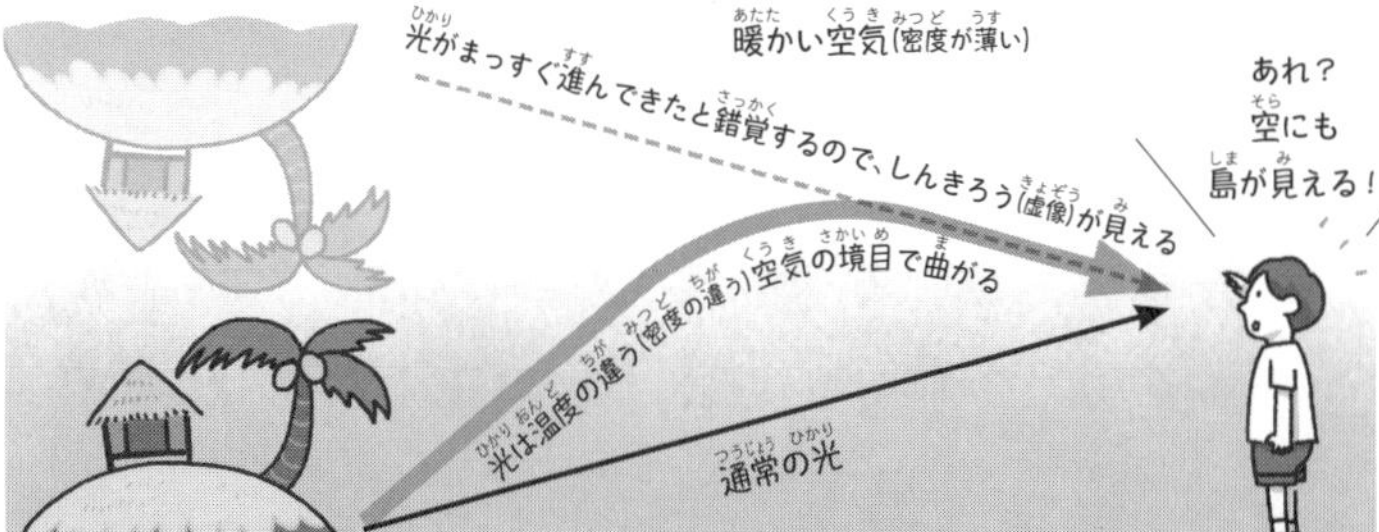

怪奇事件《かいきじけん》ファイル5

襲来《しゅうらい》！宇宙人《うちゅうじん》の謎《なぞ》

FILE 0005

「だから、宇宙人《うちゅうじん》は絶対《ぜったい》いるんだってば！」

「何言《なにい》ってるの!?　そんなのいるわけないでしょ！」

放課後《ほうかご》の6年《ねん》3組《くみ》の教室《きょうしつ》。

謎野真実《なぞのしんじつ》と宮下健太《みやしたけんた》の前《まえ》で、激《はげ》しい言《い》い争《あらそ》いが繰《く》り広《ひろ》げられていた。

星野宙人《ほしのそらと》がリーダーの「宇宙人《うちゅうじん》を地球《ちきゅう》に呼《よ》ぶ会《かい》」の男子《だんし》3人《にん》と、信城《しんじょう》カズミが率《ひき》いる「宇宙人《うちゅうじん》なんて信《しん》じない会《かい》」の女子《じょし》3人《にん》だ。

「UFO《ユーフォー》を目撃《もくげき》した人《ひと》だって、世界中《せかいじゅう》にたくさんいるんだぞ！」

「どうかしら？　そんなのただの見間違《みまちが》いでしょ！」

毎日《まいにち》のように繰《く》り返《かえ》される言《い》い争《あらそ》いに、いやけがさした宙人《そらと》から、「宇宙人《うちゅうじん》がいるかいないか、決着《けっちゃく》をつけてほしい」と、ホームページに依頼《いらい》が届《とど》いたのだ。

「謎野《なぞの》くん！　宇宙人《うちゅうじん》はいるって、ビシッと言《い》ってくれよ！」

真《ま》っ赤《か》な顔《かお》で真実《しんじつ》に詰《つ》め寄《よ》る宙人《そらと》は、オカルト好《ず》きで有名《ゆうめい》だった。

うわさでは、宇宙人《うちゅうじん》を呼《よ》ぶために、家《いえ》で毎日《まいにち》3時間《じかん》お祈《いの》りしているという。

宙人《そらと》の迫力《はくりょく》に、真実《しんじつ》のとなりに座《すわ》る健太《けんた》は思《おも》わず身《み》を引《ひ》いた。

（ぼくも宇宙人《うちゅうじん》はいるって信《しん》じてるけど……何《なん》て答《こた》えればいいんだろう？）

真実《しんじつ》は人差《ひとさ》し指《ゆび》で眼鏡《めがね》をクイッと上《あ》げると、落《お》ち着《つ》いた声《こえ》で答《こた》えた。

「残念《ざんねん》だけど、いるともいないとも、どちらともいえないよ」

「何《なん》だって!?」

宙人《そらと》は思《おも》わず声《こえ》をあげた。

「宇宙《うちゅう》は広《ひろ》い。ぼくらのいる銀河系《ぎんがけい》だけでも、星《ほし》の数《かず》が2千億個《せんおくこ》、さらに、宇宙《うちゅう》には銀《ぎん》河系《がけい》に似《に》たような星《ほし》の集《あつ》まりが、2兆個《ちょうこ》もあるといわれている。星《ほし》の数《かず》から考《かんが》えれば、『地球外生命体《ちきゅうがいせいめいたい》』……いわゆる『宇宙人《うちゅうじん》』がいる可能性《かのうせい》はある。だけど、確《たし》かな証拠《しょうこ》はいまだに見《み》つかっていないんだ」

「ほーら、見《み》つかってないって。やっぱり宇宙人《うちゅうじん》なんていないのよ！」

ウンウンとうなずき合《あ》い、歓声《かんせい》をあげるカズミたち。

「宇宙人《うちゅうじん》は必《かなら》ずいる。来《き》てほしいって本気《ほんき》で念《ねん》を送《おく》れば来《き》てくれるんだ。今《いま》に見《み》てろよ……！」

宙人《そらと》たちは、くやしそうにそう言《い》い残《のこ》すと、教室《きょうしつ》を出《で》ていった。

その翌朝《よくあさ》。真実《しんじつ》が登校《とうこう》すると、学校《がっこう》は大騒《おおさわ》ぎになっていた。健太《けんた》があわててかけ寄《よ》る。

「真実《しんじつ》くん、たいへんだよ！　学校《がっこう》にUFO《ユーフォー》が来《き》たんだよ！」

「学校《がっこう》にUFO《ユーフォー》？」

真実《しんじつ》の言葉《ことば》に、健太《けんた》はうなずいた。

「そうなんだ！　中庭《なかにわ》に、ミステリーサークルが現《あらわ》れたらしいんだよ！」

東校舎《ひがしこうしゃ》と西校舎《にしこうしゃ》のあいだの中庭《なかにわ》に、巨大《きょだい》な模様《もよう》が出現《しゅつげん》したという。

真実《しんじつ》と健太《けんた》は、押《お》し合《あ》う子《こ》どもたちをかき分《わ》け、中庭《なかにわ》へと向《む》かった。

「うわ～。……これはすごい！」

模様《もよう》を目《め》にした健太《けんた》は息《いき》をのんだ。

まるでコンピューターが描《えが》いたような、正確《せいかく》な曲線《きょくせん》がいくつも重《かさ》なり、中庭《なかにわ》いっぱいに不思議《ふしぎ》な模様《もよう》が浮《う》かび上《あ》がっていた。

「やったぞー!! これは宇宙人《うちゅうじん》からのメッセージだ！」

模様《もよう》のそばで、3人《にん》の男子《だんし》が歓声《かんせい》をあげていた。

見《み》ると、宙人《そらと》たち「宇宙人《うちゅうじん》を地球《ちきゅう》に呼《よ》ぶ会《かい》」のメンバーが、カズミたち「宇宙人《うちゅうじん》なんて信《しん》じない会《かい》」の女子《じょし》3人《にん》に話《はな》しかけている。

「宇宙人《うちゅうじん》は本当《ほんとう》にいるんだ！ ぼくたちが送《おく》った念《ねん》をキャッチして、ついに宇宙《うちゅう》から来《き》てくれたんだ！」

おびえたように模様《もよう》を見《み》ていたカズミは、ようやく声《こえ》をしぼり出《だ》した。

「こんなのウソよ……。ミステリーサークルなんてインチキに決《き》まってるわ！」

「フン。確《たし》かに、世界中《せかいじゅう》で見《み》つかったミステリーサークルは、ほとんどがイタズラだって言《い》われてるよ。人間《にんげん》が、麦畑《むぎばたけ》や田《た》んぼの作物《さくもつ》を倒《たお》して模様《もよう》を描《えが》いたんだってね。でもさ、これは違《ちが》うんだ！」

宙人《そらと》はしゃがむと地面《じめん》に描《えが》かれた模様《もよう》の一部《いちぶ》に手《て》を伸《の》ばした。

その手《て》から、サラサラと、砂《すな》がこぼれ落《お》ちる。

「砂《すな》で描《えが》かれてるんだよ！ こんなの見《み》たことあるかい？ 砂《すな》を使《つか》って、ひと晩《ばん》で、正《せい》確《かく》で巨大《きょだい》な模様《もよう》を描《えが》くなんて、宇宙人《うちゅうじん》にしか、できっこないよ！」

カズミたち女子《じょし》3人《にん》はだまったまま、くやしそうに顔《かお》を見合《みあ》わせた。

健太《けんた》は、ふたたび中庭《なかにわ》の模様《もよう》に目《め》をやって考《かんが》えた。

（確《たし》かに人《ひと》の手《て》でこの模様《もよう》を描《えが》くのは難《むずか》しいかも……。だとしたら、やっぱり宇宙人《うちゅうじん》はいるんだ！）

「これでハッキリしたろ？　宇宙人《うちゅうじん》は本当《ほんとう》にいるのさ。きみたちの負《ま》けだよ」

宙人《そらと》たちは勝《か》ちほこったように笑《わら》うと、真実《しんじつ》のほうを向《む》いた。

「謎野《なぞの》くん、きみも考《かんが》え直《なお》してくれるよね？　宇宙人《うちゅうじん》は存在《そんざい》するって」

真実《しんじつ》は宙人《そらと》の顔《かお》を見《み》つめると静《しず》かに言《い》った。

「残念《ざんねん》だけど、この模様《もよう》は人間《にんげん》が描《えが》いたものだよ」

「えっ、宇宙人《うちゅうじん》じゃなく、人間《にんげん》が描《えが》いたって!?　どうしてそんなことがわかるのさ!?」

顔《かお》を真《ま》っ赤《か》にして言《い》う宙人《そらと》に、真実《しんじつ》は落《お》ち着《つ》いた声《こえ》で答《こた》えた。

「ぼくはこう思《おも》うんだ。本当《ほんとう》に宇宙人《うちゅうじん》がメッセージを伝《つた》えるためにこの模様《もよう》を描《えが》いたなら、どうして広《ひろ》いグラウンドじゃなくて、わざわざせまい中庭《なかにわ》を選《えら》んだんだろうって」

意外《いがい》な言葉《ことば》に、宙人《そらと》たち「宇宙人《うちゅうじん》を地球《ちきゅう》に呼《よ》ぶ会《かい》」のメンバーは、目《め》をパチクリさせた。

「それは……えーと、あれだよ、この中庭《なかにわ》が気《き》に入《い》ったからだよ！」

「いや。この場所《ばしょ》を選《えら》んだ理由《りゆう》があるはずだよ」

真実《しんじつ》はそう言《い》うと、中庭《なかにわ》をはさんで立《た》つ、２つの校舎《こうしゃ》を見上《みあ》げた。

「ぼくの推理《すいり》が正《ただ》しければ、校舎《こうしゃ》の屋上《おくじょう》に、この模様《もよう》の謎《なぞ》を解《と》く答《こた》えがあるはずだ。きみたちもいっしょに来《く》るかい？」


ギイイイ……。

真実《しんじつ》と宙人《そらと》たちは、東校舎《ひがしこうしゃ》のいちばん上《うえ》の扉《とびら》を開《あ》けて屋上《おくじょう》へ出《で》た。

中庭《なかにわ》に描《えが》かれた模様全体《もようぜんたい》が見《み》わたせる。

「バカバカしい。こんなところに何《なに》があるっていうんだ」

宙人《そらと》の言葉《ことば》には耳《みみ》を貸《か》さず、真実《しんじつ》は中庭側《なかにわがわ》の屋上《おくじょう》の手《て》すりを調《しら》べはじめた。

「思《おも》ったとおりだ。見《み》つけたよ」

真実《しんじつ》が指《ゆび》さした手《て》すりを見《み》ると、塗料《とりょう》がはげたような「すり傷《きず》」が付《つ》いている。まだ新《あたら》しいもののようだ。

「手《て》すりの傷《きず》が、ミステリーサークルと何《なん》の関係《かんけい》があるんだい？」

宙人《そらと》がまゆをひそめたそのとき……。

中庭《なかにわ》をはさんで向《む》かい側《がわ》に立《た》つ、西校舎《にしこうしゃ》の屋上《おくじょう》から健太《けんた》の声《こえ》が響《ひび》いた。

「真実《しんじつ》くーん！　こっちの手《て》すりにも、すり傷《きず》があったよ〜！　それに、ほら、こんなものも見《み》つけたよ〜！」

健太《けんた》が持《も》ち上《あ》げてみせたのは、鉄製《てっせい》の大《おお》きなバケツだった。

バケツの底《そこ》には穴《あな》が開《あ》いている。

「東校舎《ひがしこうしゃ》と西校舎《にしこうしゃ》の手《て》すりに付《つ》いたすり傷《きず》。そして、底《そこ》に穴《あな》の開《あ》いたバケツ。すべての謎《なぞ》が解《と》けたよ。今日《きょう》の放課後《ほうかご》、6年《ねん》3組《くみ》の教室《きょうしつ》で、ぼくも、これと同《おな》じミステリーサークルを描《えが》いてみせよう」

真実《しんじつ》は、宙人《そらと》たちを真《ま》っすぐに見《み》つめて言《い》った。

日《ひ》が暮《く》れはじめた、放課後《ほうかご》の6年《ねん》3組《くみ》の教室《きょうしつ》。

宙人《そらと》たち、「宇宙人《うちゅうじん》を地球《ちきゅう》に呼《よ》ぶ会《かい》」のメンバー3人《にん》が、真実《しんじつ》を見《み》つめていた。

「本当《ほんとう》に、中庭《なかにわ》に現《あらわ》れたミステリーサークルを再現《さいげん》できるんだな？」

「ああ、もちろん」

真実《しんじつ》の前《まえ》には、段《だん》ボール製《せい》の2つの校舎《こうしゃ》のミニチュアが置《お》かれていた。

校舎《こうしゃ》の屋上《おくじょう》同士《どうし》をつなぐように、ロープが張《は》られている。

「東校舎《ひがしこうしゃ》と西校舎《にしこうしゃ》の手《て》すりに付《つ》いていたすり傷《きず》。あれは、離《はな》れた手《て》すり同士《どうし》をロープで結《むす》んだ跡《あと》だ」

「屋上《おくじょう》で見《み》つけたバケツは？　あの穴《あな》の開《あ》いたバケツも関係《かんけい》あるの？」

思《おも》わず健太《けんた》が言葉《ことば》をはさむ。

真実《しんじつ》はうなずくと、ロープの真《ま》ん中《なか》に空《あ》き缶《かん》をつり下《さ》げた。

「こんなふうにバケツをつり下《さ》げてたんだ。この中《なか》に砂《すな》を入《い》れて揺《ゆ》らすと……」

「ああっ！」

健太《けんた》が声《こえ》をあげた。

右《みぎ》に、左《ひだり》に、規則的《きそくてき》に揺《ゆ》れる空《あ》き缶《かん》。缶《かん》の底《そこ》に開《あ》けた穴《あな》から砂《すな》がこぼれ落《お》ち、シートの上《うえ》に、不《ふ》思議《しぎ》な図形《ずけい》を描《えが》きはじめたのだ。

「機械《きかい》が描《えが》いたように正確《せいかく》な模様《もよう》……中庭《なかにわ》のミステリーサークルと同《おな》じだ！」

「そう。これは、ロープをY字形《ワイじがた》にしてつるした振《ふ》り子《こ》が描《えが》く『リサジュー図形《ずけい》』というものだよ。ミステリーサークルの正体《しょうたい》は、誰《だれ》かが、東校《ひがしこう》舎《しゃ》と西校舎《にしこうしゃ》のあいだにロープを張《は》って描《えが》いた、巨《きょ》大《だい》なリサジュー図形《ずけい》さ」

「そんな……そんなの違《ちが》う……！」

宙人《そらと》はうろたえ、メンバーたちと顔《かお》を見合《みあ》わせた。

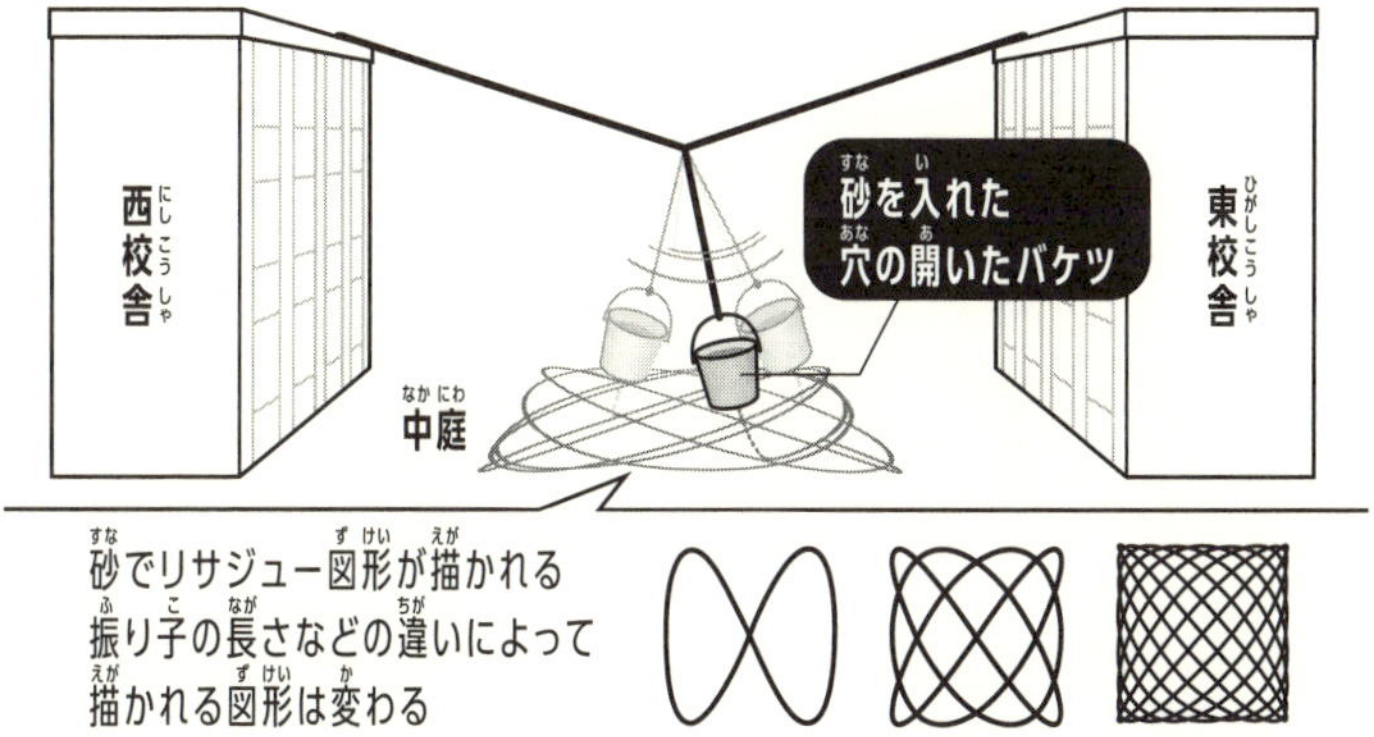
西校舎《にしこうしゃ》
東校舎《ひがしこうしゃ》
砂《すな》を入《い》れた
穴《あな》の開《あ》いたバケツ
中庭《なかにわ》
砂《すな》でリサジュー図形《ずけい》が描《えが》かれる
振《ふ》り子《こ》の長《なが》さなどの違《ちが》いによって
描《えが》かれる図形《ずけい》は変《か》わる

「あっ！　もしかして、宇宙人《うちゅうじん》は本当《ほんとう》にいるってみんなに信《しん》じてもらいたくて、宙人《そらと》くんたちがやったの!?」

健太《けんた》が言《い》うと、宙人《そらと》はあわてて首《くび》を左右《さゆう》に振《ふ》った。

「そんなことするわけないだろ！　あのミステリーサークルは、ぼくらが呼《よ》んだ宇宙《うちゅう》人《じん》からのメッセージだって、今《いま》の今《いま》まで信《しん》じてたんだ！」

「えっ!?　それじゃあ、ミステリーサークルを描《えが》いたのは、いったい誰《だれ》？」

健太《けんた》がつぶやいたそのとき、教室《きょうしつ》の電気《でんき》がいきなり消《き》えた。

何《なに》かに気《き》がついた宙人《そらと》が、叫《さけ》び声《ごえ》をあげる。

「ああっ！　あれは何《なん》だ!?」

窓《まど》の下《した》、青白《あおじろ》い光《ひかり》に包《つつ》まれた校庭《こうてい》で、黄緑色《きみどりいろ》に光《ひか》る「謎《なぞ》の物体《ぶったい》」が動《うご》いていた。

「出《で》たああ！　宇宙人《うちゅうじん》だあ！」

大《おお》きな頭《あたま》。長《なが》い手足《てあし》。黄緑色《きみどりいろ》に光《ひか》りながら、ユラユラと全身《ぜんしん》を揺《ゆ》らしている。やがて、真実《しんじつ》たちがいる教室《きょうしつ》を指《ゆび》さすように、１本《ぽん》の腕《うで》を持《も》ち上《あ》げた。

「え、何《なに》……？　あっ！」

健太《けんた》は、教室《きょうしつ》の中《なか》を見回《みまわ》して叫《さけ》んだ。黒板《こくばん》に光《ひか》る文字《もじ》が現《あらわ》れていたのだ。

〈ワレワレヲ　ヨンダヤツラヲ　ツレテカエル〉

「ええっ！　おれたち宇宙人《うちゅうじん》に連《つ》れていかれちゃうの!?」

「宇宙人《うちゅうじん》を地球《ちきゅう》に呼《よ》ぶ会《かい》」のメンバーたちは青《あお》ざめた。

黄緑色《きみどりいろ》に光《ひか》る「物体《ぶったい》」は体《からだ》を揺《ゆ》らし、ゆっくりと教室《きょうしつ》へ近《ちか》づいてきた。

「うわ～っ！　こっちに来《く》る！」

「呼《よ》んでごめんよ～！　本当《ほんとう》に宇宙人《うちゅうじん》はいるって証明《しょうめい》したかったんだよ～！」

宙人《そらと》たちは口々《くちぐち》に叫《さけ》び、あわてて教室《きょうしつ》を飛《と》び出《だ》していってしまった。

次《つぎ》の瞬間《しゅんかん》、青白《あおじろ》い光《ひかり》が消《き》え、あたりが闇《やみ》に包《つつ》まれた。

真実《しんじつ》が懐中電灯《かいちゅうでんとう》で中庭《なかにわ》を照《て》らしたが、そこに「謎《なぞ》の物体《ぶったい》」の姿《すがた》はなかった。

「消《き》えた……!?」

「調《しら》べてみよう、健太《けんた》くん」

校庭《こうてい》に出《で》た真実《しんじつ》は、黄緑色《きみどりいろ》に光《ひか》る「物体《ぶったい》」がいた場所《ばしょ》を調《しら》べはじめた。

懐中電灯《かいちゅうでんとう》で照《て》らすと、地面《じめん》は黒《くろ》く変色《へんしょく》し、しめっていた。

「ぬれている……？」

さらに、そのまわりには、たくさんの「画《が》びょう」が落《お》ちていた。

「あっ！　真実《しんじつ》くんあれを見《み》て。ビニールみたいなものが落《お》ちてる！」

真実《しんじつ》が拾《ひろ》い上《あ》げたもの……それは、割《わ》れた風船《ふうせん》だった。

「謎《なぞ》はすべて解《と》けたよ。宇宙人《うちゅうじん》の正体《しょうたい》は、バルーンアート用《よう》の細長《ほそなが》い風船《ふうせん》をつないだものだったんだ。画《が》びょうで割《わ》れて、姿《すがた》が消《き》えたように見《み》えたのさ」

「風船《ふうせん》!?　でも、さっき見《み》たときは、黄緑色《きみどりいろ》に光《ひか》ってたよ!?」

「さっき、中庭《なかにわ》が青白《あおじろ》く光《ひか》っていたよね。犯人《はんにん》はきっと、校舎《こうしゃ》から、ブラックライトの光《ひかり》を当《あ》てていたんだ。風船《ふうせん》に、ある液体《えきたい》を入《い》れてね」

「ある液体《えきたい》？」

「ブラックライトで照《て》らすと、黄緑色《きみどりいろ》に光《ひか》る液体《えきたい》があるんだ。それは……」

真実《しんじつ》が言《い》う、光《ひか》る液体《えきたい》の正体《しょうたい》は、次《つぎ》のうちどれだろう？

食塩水《しょくえんすい》　　サイダー　　栄養《えいよう》ドリンク

解決編《かいけつへん》

「ブラックライトを当《あ》てると黄緑色《きみどりいろ》に光《ひか》る液体《えきたい》、それは栄養《えいよう》ドリンクだよ」

驚《おどろ》く健太《けんた》に、真実《しんじつ》は言葉《ことば》を続《つづ》けた。

「ビタミンＢ２《ビーツー》は、ブラックライトが放《はな》つ紫外線《しがいせん》に反応《はんのう》して光《ひか》るのさ。栄養《えいよう》ドリンクを風船《ふうせん》の中《なか》に入《い》れて、光《ひか》る宇宙人《うちゅうじん》のように見《み》せていたんだ」

「そうだったのか。じゃあ、教室《きょうしつ》の黒板《こくばん》で光《ひか》っていた文字《もじ》は？」

「おそらく、暗闇《くらやみ》で光《ひか》るインクで、前《まえ》もって書《か》いておいたんだろうね。ミステリーサークルも宇宙人《うちゅうじん》も、宙人《そらと》くんたちを困《こま》らせたい『誰《だれ》か』のしわざさ」

そこまで言《い》うと、真実《しんじつ》は校舎《こうしゃ》の屋上《おくじょう》を指《ゆび》さした。

「さっき、屋上《おくじょう》で動《うご》く人影《ひとかげ》が見《み》えた。きっと、屋上《おくじょう》からつるして風船《ふうせん》の宇宙人《うちゅうじん》を操《あやつ》っていたんだ。今《いま》なら、まだ間《ま》に合《あ》う」

「急《いそ》ごう！　真実《しんじつ》くん！」


階段《かいだん》をかけ上《あ》がり、屋上《おくじょう》の扉《とびら》を開《あ》けると……そこには、意外《いがい》な人物《じんぶつ》がいた。

カズミたち、「宇宙人《うちゅうじん》なんて信《しん》じない会《かい》」の女子《じょし》3人《にん》だ。

「信城《しんじょう》さんたちが!?　いったいどうして!?」

「バレちゃったみたいね。あいつら、いつもうるさいから、ホントに宇宙人《うちゅうじん》が来《き》たことにして、ちょっとビビらせてやろうと思《おも》ったの」

カズミの言葉《ことば》を聞《き》いた健太《けんた》は、ガックリと肩《かた》を落《お》とした。

「すごく悲《かな》しい気持《きも》ちだよ。ぼくも、宇宙人《うちゅうじん》は必《かなら》ずいるって信《しん》じてる。だから宇宙人《うちゅうじん》と会《あ》えて、怖《こわ》かったけど……うれしかったんだ。でも、ぜんぶウソだったなんて……。大切《たいせつ》な宝物《たからもの》をこわされたみたいだ」

FILE 0005

「……」

カズミがだまってうつむいたとき、1人《ひとり》の女子《じょし》がつぶやいた。

「うそっ！　あれ、UFO《ユーフォー》じゃない!?」

星《ほし》と星《ほし》のあいだをゆっくりと動《うご》く、光《ひか》る物体《ぶったい》が見《み》えたのだ。

「ホントだ……あいつらの言《い》ってたとおり、UFO《ユーフォー》はいたんだ。きれい……」

顔《かお》を上《あ》げて目《め》を輝《かがや》かせるカズミに真実《しんじつ》が言《い》う。

「あれはきっと人工衛星《じんこうえいせい》さ。日《ひ》が暮《く》れたころに、光《ひか》って見《み》えることがあるんだ。でもいつか、人間《にんげん》と宇宙人《うちゅうじん》が出会《であ》える日《ひ》が来《く》るかもしれない。それを可能《かのう》にするのは、信《しん》じる気持《きも》ちだよ」

「……あした、あいつらに謝《あやま》らなきゃね」

そう言《い》ってカズミたちは、満天《まんてん》の星《ほし》をあおいだ。

「襲来《しゅうらい》！　宇宙人《うちゅうじん》の謎《なぞ》」終《お》わり

宇宙人《うちゅうじん》はいるの？ いないの？

この広《ひろ》い宇宙《うちゅう》に、わたしたち以外《いがい》に知的生命体《ちてきせいめいたい》、いわゆる宇宙人《うちゅうじん》はいるのでしょうか？
その答《こた》えを求《もと》めて、宇宙人《うちゅうじん》を探《さが》すプロジェクトが、さまざまな方法《ほうほう》で進《すす》んでいます。

宇宙人《うちゅうじん》に送《おく》ったメッセージ

今《いま》から約《やく》50年前《ねんまえ》に打《う》ち上《あ》げられた、アメリカの探査機《たんさき》パイオニア10号《ごう》（1972年《ねん》）と11号《ごう》（1973年《ねん》）には、宇宙人《うちゅうじん》へのメッセージがのせられている。パイオニア10号《ごう》は太陽系《たいようけい》の外《そと》に出《で》て宇宙《うちゅう》の旅《たび》を続《つづ》けていて、200万《まん》年後《ねんご》には、おうし座《ざ》のアルデバランという星《ほし》の近《ちか》くに達《たっ》すると考《かんが》えられている。いつか宇宙人《うちゅうじん》が見《み》つけてくれるかもしれない。

宇宙人《うちゅうじん》の数《かず》を計算《けいさん》した「ドレイク方程式《ほうていしき》」

アメリカの天文学者《てんもんがくしゃ》、フランク・ドレイクは、「生命《せいめい》が存在《そんざい》できそうな惑星《わくせい》の数《かず》」「その惑星《わくせい》に生命《せいめい》が生《う》まれる確率《かくりつ》」など、7つの数字《すうじ》から、宇宙人《うちゅうじん》が存在《そんざい》するかどうかを計算《けいさん》した。その結果《けっか》、10ほどの宇宙人《うちゅうじん》がいると答《こた》えが出《で》たという。

$$\times f_l \times f_i \times f_c \times L$$

- f_l：生命《せいめい》が誕生《たんじょう》する確率《かくりつ》
- f_i：知的生命体《ちてきせいめいたい》に進化《しんか》する確率《かくりつ》
- f_c：電波《でんぱ》の技術《ぎじゅつ》を獲得《かくとく》する確率《かくりつ》
- L：文明《ぶんめい》の持続年数《じぞくねんすう》

宇宙人《うちゅうじん》からのメッセージ？

1977年《ねん》、アメリカの電波望《でんぱぼう》遠鏡《えんきょう》が、奇妙《きみょう》で強《つよ》い電波《でんぱ》を受信《じゅしん》した。発見者《はっけんしゃ》が電波《でんぱ》の記録紙《きろくし》に思《おも》わず「Wow!《ワオ》」と書《か》きこんだことから、この電波《でんぱ》は「Wow!《ワオ》シグナル」と呼《よ》ばれている。いまだに発信源《はっしんげん》がわからないため、宇宙人《うちゅうじん》からのメッセージではと考《かんが》える研《けん》究者《きゅうしゃ》もいる。

WOW!《ワオ》

人間《にんげん》の姿《すがた》と、その背後《はいご》にあるパイオニア探査機《たんさき》の大《おお》きさから人間《にんげん》の大《おお》きさもわかる

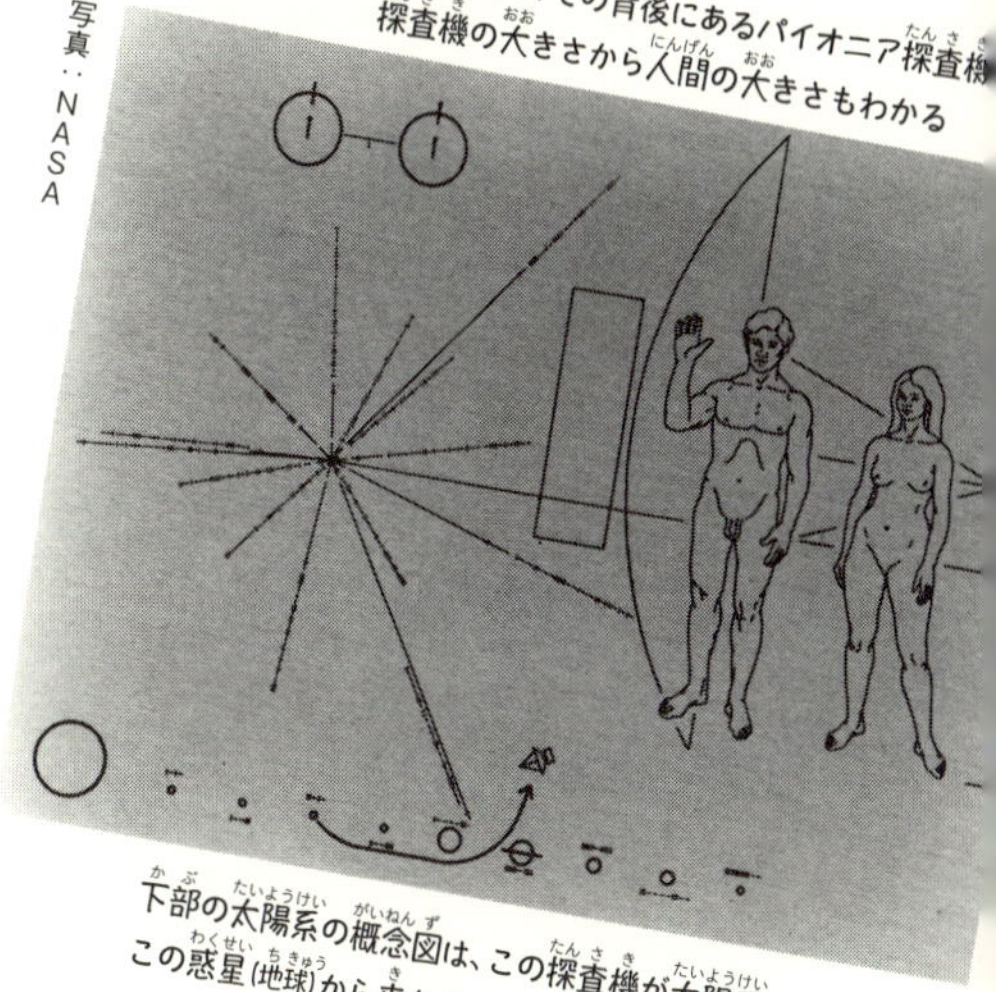

写真：NASA

下部《かぶ》の太陽系《たいようけい》の概念図《がいねんず》は、この探査機《たんさき》が太陽系《たいようけい》のこの惑星《わくせい》(地球《ちきゅう》)から来《き》たということを表《あらわ》している

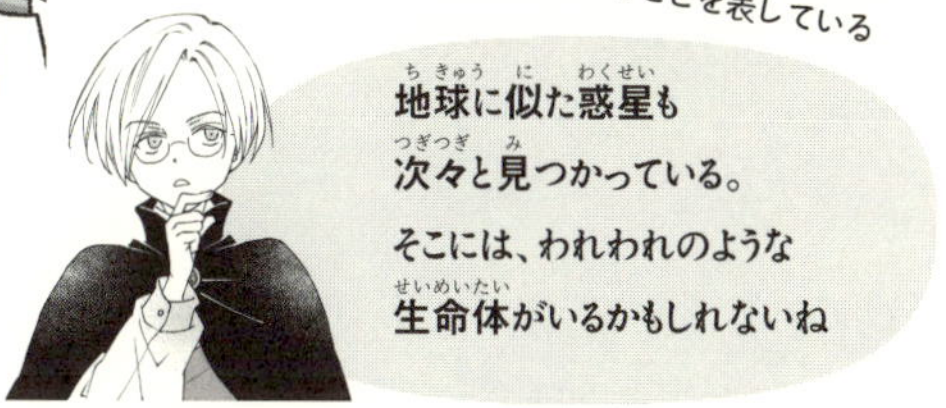
地球《ちきゅう》に似《に》た惑星《わくせい》も
次々《つぎつぎ》と見《み》つかっている。
そこには、われわれのような
生命体《せいめいたい》がいるかもしれないね

$$N = R_* \times fp \times ne$$

N：知的生命体《ちてきせいめいたい》(宇宙人《うちゅうじん》)の数《かず》

R_*：1年間《ねんかん》に誕生《たんじょう》する恒星《こうせい》の数《かず》

fp：恒星《こうせい》が惑星系《わくせいけい》を持《も》つ確率《かくりつ》

ne：1つの惑星系《わくせいけい》での地球型惑星《ちきゅうがたわくせい》の数《かず》

怪奇事件《かいきじけん》ファイル6

クラゲの館《やかた》事件《じけん》

「真実《しんじつ》くんに、また依頼《いらい》のメールが来《き》たんだけど……」

放課後《ほうかご》。青井美希《あおいみき》が、6年《ねん》2組《くみ》の教室《きょうしつ》にやってきて、言《い》った。

帰《かえ》ろうとしていた宮下健太《みやしたけんた》と謎野真実《なぞのしんじつ》は、「おや？」という顔《かお》で美希《みき》を見《み》る。

いつもなら「たいへん、たいへん、事件《じけん》よ！」と大騒《おおさわ》ぎしながらかけこんでくるはずの美希《みき》が、今日《きょう》はなぜだかテンションが低《ひく》かったのだ。

（どんな依頼《いらい》なんだろう？）

健太《けんた》は、かえって、その内容《ないよう》が気《き》になる。

美希《みき》は、タブレットの画面《がめん》を開《ひら》き、メールのことを語《かた》りはじめた。

「送《おく》り主《ぬし》は、海野月太郎《うみのつきたろう》さんという人《ひと》で、花森町《はなもりちょう》では、けっこう知《し》られている資産家《しさんか》らしいわ。愛犬《あいけん》のジェシカが、最近《さいきん》、食欲《しょくよく》がなくて、心配《しんぱい》なんだって」

「食欲《しょくよく》がない？　もしかして病気《びょうき》？」

そう尋《たず》ねる健太《けんた》に、「ううん」と、美希《みき》は首《くび》を振《ふ》る。

「それが、すごく元気《げんき》なんだって。動物病院《どうぶつびょういん》で診《み》てもらっても、健康《けんこう》に問題《もんだい》はないと言《い》われたそうよ。原因《げんいん》がまったくわからないんで、名探偵《めいたんてい》の謎野真実《なぞのしんじつ》くんに、ぜひ相談《そうだん》に乗《の》ってもらいたいっていう依頼《いらい》なの」

美希《みき》はそう言《い》うと、タブレットの画面《がめん》を閉《と》じ、溜《た》め息《いき》をついた。

「でも、これって、事件《じけん》っていうほどの事件《じけん》じゃないわよね？　真実《しんじつ》くんに依頼《いらい》するより、動物《どうぶつ》の専門家《せんもんか》に相談《そうだん》したほうがいいと思《おも》うんだけど……」

美希《みき》は、あまり気《き》がすすまないようだ。

しかし真実《しんじつ》は、人差《ひとさ》し指《ゆび》で眼鏡《めがね》をクイッと上《あ》げ、美希《みき》に言《い》った。

「依頼人《いらいにん》の海野氏《うみのし》に、会《あ》いたいと伝《つた》えてくれないか」

「えっ、真実《しんじつ》くん、引《ひ》き受《う》けるの？」

美希《みき》は驚《おどろ》く。

「ああ。できるだけ早《はや》く相談《そうだん》に乗《の》りたい。今度《こんど》の週末《しゅうまつ》、会《あ》いにいくと返信《へんしん》してほしい」

「いいけど……でも、意外《いがい》よね。真実《しんじつ》くんが、こんな依頼《いらい》を引《ひ》き受《う》けるなんて」

不思議《ふしぎ》そうにつぶやく美希《みき》に、真実《しんじつ》は言《い》った。

「依頼人《いらいにん》の海野氏《うみのし》は、クラゲのコレクターとしても有名《ゆうめい》なんだ。めったに人前《ひとまえ》に姿《すがた》を現《あらわ》さず、コレクションを見《み》せてもらった人《ひと》はほとんどいないらしいけど、彼《かれ》の館《やかた》には、世《せ》界中《かいじゅう》から買《か》い集《あつ》めた、めずらしいクラゲがたくさん飼育《しいく》されているそうだよ」

「つまり真実《しんじつ》くんは、クラゲが見《み》たくて、依頼《いらい》を引《ひ》き受《う》けるってこと？」

「まあね」

真実《しんじつ》はうなずく。

「なーんだ。それなら納得《なっとく》だわ。そんなめずらしいクラゲを飼《か》っている人《ひと》なら、わたしも興味《きょうみ》がある。今度《こんど》の学校新聞《がっこうしんぶん》で、クラゲの特集記事《とくしゅうきじ》を組《く》もうかしら。じゃあ、さっそく海野《うみの》さんに返信《へんしん》しておくわね」

美希《みき》はそう言《い》って、ホクホクしながら教室《きょうしつ》を出《で》ていった。


海辺《うみべ》にある海野氏《うみのし》の館《やかた》は、外国《がいこく》のリゾート地《ち》にあるような、白亜《はくあ》の大邸宅《だいていたく》だった。

広大《こうだい》な芝生《しばふ》の庭《にわ》には、パラソルやデッキチェアが並《なら》んでいる。

「うわあ、プールもある〜！」

「すごい、まるでホテルみたいね！」

週末《しゅうまつ》。真実《しんじつ》とともに海野氏《うみのし》の家《いえ》を訪《たず》ねた健太《けんた》と美希《みき》は、ゴージャスな館《やかた》を見《み》て、目《め》を丸《まる》くした。
館《やかた》の門《もん》は、海野氏《うみのし》が開《あ》けておいてくれたのか、すでに開《ひら》いている。
約束《やくそく》の時間《じかん》になったので、3人《にん》は館《やかた》の庭《にわ》へと足《あし》を踏《ふ》み入《い》れた。
すると、突然《とつぜん》――。
犬小屋《いぬごや》につながれていた1匹《ぴき》の土佐犬《とさいぬ》が、3人《にん》に向《む》かって、うなりはじめた。
「ウウウゥ……ガルルル……」
今《いま》にも飛《と》びかかってきそうな土佐犬《とさいぬ》のようすを見《み》て、健太《けんた》は思《おも》わず、あとずさる。
(もしかして……この子《こ》がジェシカ?)
見《み》たところ、土佐犬《とさいぬ》は、すこぶる元気《げんき》そうだ。
(食欲《しょくよく》がないって言《い》ってたけど、丸々《まるまる》と太《ふと》ってるし、心配《しんぱい》はなさそうだけど……)
そのとき、犬《いぬ》のうなり声《ごえ》を聞《き》きつけ、館《やかた》の中《なか》から、1人《ひとり》の男性《だんせい》が姿《すがた》を現《あらわ》した。
「こら! やめなさい、ジェシカ!」
男性《だんせい》が一喝《いっかつ》すると、ジェシカはすぐに静《しず》かになる。
男性《だんせい》は、50歳《さい》ぐらい。日焼《ひや》けして、背《せ》が高《たか》く、いかにも資産家《しさんか》といった雰囲気《ふんいき》の、高《こう》

価《か》な服《ふく》をまとっていた。

どうやら、この男性《だんせい》が館《やかた》の主人《しゅじん》、海野月太郎氏《うみのつきたろうし》のようだ。

「ごめん。驚《おどろ》かせてしまったね」

海野氏《うみのし》は、ジェシカの頭《あたま》をなでながら、笑顔《えがお》を見《み》せた。

（……よかった。ジェシカは怖《こわ》いけど、飼《か》い主《ぬし》の海野《うみの》さんは、いい人《ひと》みたいだ）

健太《けんた》は、胸《むね》をなでおろす。だが、次《つぎ》の瞬間《しゅんかん》――。

「ところで、きみたちは誰《だれ》だい？」

海野氏《うみのし》の口《くち》から出《で》た言葉《ことば》に、健太《けんた》は驚《おどろ》く。

「えっと、あのお、ぼくたちは……」

「こんにちは、海野《うみの》さん。わたしたちは、ジェシカの食欲不振《しょくよくふしん》のことで相談《そうだん》を受《う》けた探偵《たんてい》です」

しどろもどろの健太《けんた》に代《か》わって、美希《みき》がハキハキと答《こた》える。

すると、海野氏《うみのし》は「あっ」と、思《おも》い出《だ》したように、明《あか》るい声《こえ》で言《い》った。

「そうか。はは、そうだったね。だが、見《み》てのとおり、ジェシカは元気《げんき》になった。今《いま》は食欲《しょくよく》もあるし、問題《もんだい》は解決《かいけつ》したよ。せっかく来《き》てもらったのに、悪《わる》かったね」

「いえ、問題《もんだい》が解決《かいけつ》したのなら、べつにいいんですけど……」

美希《みき》はそう言《い》いながらも、どこかムッとしたようすだ。小声《こごえ》で健太《けんた》に耳打《みみう》ちする。

「それならそうと、メールで知《し》らせてほしかったわ。お金持《かねも》ちは気《き》まぐれっていうけど、本当《ほんとう》ね」

一方《いっぽう》、真実《しんじつ》は、まったく気《き》にしていないようすだった。にこやかにほほえみながら、海野氏《うみのし》に言《い》う。

「それより、よかったら、海野《うみの》さんの秘蔵《ひぞう》のクラゲのコレクションを見《み》せていただけませんか？」

「クラゲ？」

海野氏《うみのし》は、一瞬《いっしゅん》、ためらいを見《み》せたが、すぐに言《い》った。

「あ、ああ……。べつにかまわないよ。さあどうぞ、入《はい》ってくれたまえ」

海野氏《うみのし》に招《まね》かれ、３人《にん》は、館《やかた》の中《なか》へと足《あし》を踏《ふ》み入《い》れた。

館《やかた》の1階《かい》には、光《ひかり》が遮断《しゃだん》された、広々《ひろびろ》とした空間《くうかん》があった。

「ここが、クラゲ専用《せんよう》の部屋《へや》だよ」

3人《にん》をその部屋《へや》に案内《あんない》した海野氏《うみのし》が、振《ふ》り返《かえ》って言《い》うと、美希《みき》が驚《おどろ》きの声《こえ》をあげる。

「すごい、まるで水族館《すいぞくかん》ね！」

部屋《へや》の中《なか》には、大小《だいしょう》さまざまな水槽《すいそう》があり、たくさんの種類《しゅるい》のクラゲが飼《か》われていたのだ。

美希《みき》は、海野氏《うみのし》の許可《きょか》を得《え》るとさっそくカメラを取《と》り出《だ》し、クラゲの写真《しゃしん》を撮《と》りはじめる。

一方《いっぽう》、健太《けんた》は、なぜだか部屋《へや》の入《い》り口《ぐち》付近《ふきん》で立《た》ち止《ど》まったまま、部屋《へや》に足《あし》を踏《ふ》み入《い》れようとしない。

「実《じつ》はぼく、クラゲが苦手《にがて》なんだ……」

健太《けんた》がつぶやくと、美希《みき》は笑《わら》いながら言《い》った。

「そういえば、健太《けんた》くん、小《しょう》3の臨海学校《りんかいがっこう》のとき、クラゲに刺《さ》されたことがあったわよね〜。だいじょうぶよ。水槽《すいそう》のガラス越《ご》しに見《み》るだけなら、刺《さ》される心配《しんぱい》はないって」

FILE 0006

「わかってるけど、でもさ……」

ためらう健太《けんた》に、真実《しんじつ》はほほえみながら、声《こえ》をかける。

「健太《けんた》くん、目《め》をつぶって、そのまま10歩《ぽ》、前《まえ》に向《む》かって歩《ある》いてごらん」

「……え？」

健太《けんた》は、言《い》われるまま目《め》をつぶり、10歩《ぽ》歩《ある》いて、部屋《へや》の中央付近《ちゅうおうふきん》にやってきた。

「そこで上《うえ》を向《む》き、ゆっくりと目《め》を開《あ》けてみて」

真実《しんじつ》に言《い》われたとおり、健太《けんた》は上《うえ》を向《む》き、こわごわ目《め》を開《あ》ける。

「うわあ、UFO《ユーフォー》だ!!」

健太《けんた》の頭上《ずじょう》には、ふちが緑色《みどりいろ》に光《ひか》るUFO《ユーフォー》のような物体《ぶったい》が、無数《むすう》にただよっていたのだ。

「あれはオワンクラゲといって、緑色《みどりいろ》に発光《はっこう》する蛍光《けいこう》たんぱく質《しつ》を持《も》ったクラゲだよ」

「えっ、クラゲ!?」

よく見《み》ると、クラゲの部屋《へや》の天井《てんじょう》は、ガラス張《ば》りのドーム形《がた》の水槽《すいそう》になっている。

UFO《ユーフォー》のように見《み》えたのは、水槽《すいそう》で飼《か》われている、たくさんのクラゲだったのだ。

「すごいや！　クラゲって、光《ひか》るんだね～！」

まるで海《うみ》のプラネタリウムのような光景《こうけい》に、健太《けんた》はうっとりした。

クラゲに興味《きょうみ》をいだいた健太《けんた》は、指《ゆび》のあいだからのぞきこむようにしながら、おそるおそるほかの水槽《すいそう》も見《み》て回《まわ》る。

「このシマシマでピンクの触手《しょくしゅ》がたくさんある、花火《はなび》のようなクラゲは何《なに》クラゲ？」

「それは、ハナガサクラゲだよ」

「こっちの十字模様《じゅうじもよう》のある、クモみたいなヤツは？」

「カギノテクラゲだ。通常《つうじょう》、クラゲは海《うみ》の中《なか》をただよっているが、カギノテクラゲは浮《ふ》遊型《ゆうがた》ではなく、海藻《かいそう》や岩《いわ》などに付着《ふちゃく》して生活《せいかつ》するんだ」

「ひゃああ、オバケ!?」

円筒状《えんとうじょう》の水槽《すいそう》に入《はい》った巨大《きょだい》なクラゲを見《み》て、健太《けんた》は腰《こし》を抜《ぬ》かしそうになる。

「これは、エチゼンクラゲ。傘《かさ》の直径《ちょっけい》が2メートル、重《おも》さ200キログラムに達《たっ》するものもいる最大級《さいだいきゅう》のクラゲだよ」

「すごい、まるで怪獣《かいじゅう》だね！」

真実《しんじつ》の解説《かいせつ》を聞《き》きながら見《み》て回《まわ》るうち、健太《けんた》はクラゲに、すっかり夢中《むちゅう》になった。

「わたしのコレクション、気《き》に入《い》ってくれたかい？」

クラゲを見《み》ていた3人《にん》に、海野氏《うみのし》が声《こえ》をかけてきた。

「ありがとうございます。とても貴重《きちょう》なコレクションですね」

真実《しんじつ》が礼《れい》を言《い》うと、海野氏《うみのし》はうなずき、チラリと腕時計《うでどけい》に目《め》をやった。

「おっと、いけない。すまないが、わたしは用事《ようじ》があるので、きみたち、そろそろ……」

海野氏《うみのし》がそう言《い》いかけたとき、背後《はいご》で美希《みき》が声《こえ》を張《は》りあげた。

「たいへん！　このクラゲ、ようすがおかしいわ！」

「えっ、何《なん》だって？　本当《ほんとう》かい？」

海野氏《うみのし》は、水槽《すいそう》を指《ゆび》さしている美希《みき》を見《み》た。

その水槽《すいそう》の中《なか》には、キノコのような形《かたち》のクラゲがたくさん泳《およ》いでいた。透明《とうめい》な傘《かさ》の真《ま》ん中《なか》に紅色《べにいろ》の消化器官《しょうかきかん》が透《す》けて見《み》える、直径《ちょっけい》1センチほどの小《ちい》さなクラゲである。

その中《なか》の1匹《ぴき》のクラゲが、水槽《すいそう》の底《そこ》にしずんで動《うご》かない。

「さっきまで、元気《げんき》に泳《およ》いでいたのに……」

美希《みき》がつぶやく。

「あー、そりゃもうダメだ。死《し》んでいるよ。あとで使用人《しようにん》に片《かた》づけさせよう」

海野氏《うみのし》は水槽《すいそう》を見《み》もせずに、そう言《い》った。

その言葉《ことば》に、眼鏡《めがね》の奥《おく》の真実《しんじつ》の目《め》が光《ひか》る。


「あの海野氏《うみのし》は、ニセモノだ」

海野氏《うみのし》が部屋《へや》を出《で》ていったあと、真実《しんじつ》は、健太《けんた》と美希《みき》に小声《こごえ》で告《つ》げた。

「実《じつ》は、依頼《いらい》のメールが来《き》たときから、海野氏《うみのし》が強盗《ごうとう》にねらわれているのではないかと疑《うたが》っていたんだ。健康《けんこう》に問題《もんだい》がないのに、愛犬《あいけん》のジェシカは食欲《しょくよく》がないという。それはつまり、誰《だれ》かがこっそりエサをやって、ジェシカを手《て》なずけていたとしか考《かんが》えられないからね」

「なるほど、そういうこと」

美希《みき》は、ようやく真実《しんじつ》が依頼《いらい》を受《う》けた本当《ほんとう》の理由《りゆう》に気《き》づいたようだった。

「真実《しんじつ》くんがこの依頼《いらい》を引《ひ》き受《う》けたのは、ジェシカの食欲不振《しょくよくふしん》が大事件《だいじけん》につながる可能《かのう》性《せい》があると、考《かんが》えていたからなのね」

するとと、健《けん》太《た》が尋《たず》ねる。

「え、それじゃ、ぼくたちが海《うみ》野《の》さんだと思《おも》っていたあの人《ひと》は、いったい何者《なにもの》なの？」

「おそらく、海《うみ》野《の》氏《し》を装《よそお》った強《ごう》盗《とう》だろう」

「強《ごう》盗《とう》!?」

健《けん》太《た》は、ゾッとする。そして、つぶやいた。

「そういえば、あの海《うみ》野《の》さん、最《さい》初《しょ》会《あ》ったときから、ちょっとおかしかったよね。自《じ》分《ぶん》で依《い》頼《らい》のメールを送《おく》っておきながら、『きみたちは誰《だれ》だい？』って、聞《き》いてきたり……」

すると、真《しん》実《じつ》も、うなずきながら言《い》った。

「おそらく、ぼくらに会《あ》ってしまったから、とっさに海《うみ》野《の》氏《し》のふりをして、話《はなし》を合《あ》わせたんだろう。でも、あのときはまだ、確《かく》信《しん》が持《も》てなかったんだ。彼《かれ》がニセモノの海《うみ》野《の》氏《し》だと確《かく》信《しん》できたのは、このクラゲのおかげさ」

真《しん》実《じつ》は、そう言《い》って、水《すい》槽《そう》の底《そこ》にしずんでいるクラゲを指《ゆび》さす。

「このクラゲは、ベニクラゲといって、ほかのクラゲにはない、大《おお》きな特《とく》徴《ちょう》がある。クラゲ好《ず》きの海野氏《うみのし》なら、その特徴《とくちょう》を知《し》らないはずはないんだ」

「ほかのクラゲにはない、ベニクラゲの特徴《とくちょう》……？」

美希《みき》は、首《くび》をかしげる。

「真実《しんじつ》くん、それって、いったい何《なん》なの？」

健太《けんた》が問《と》いかけると、真実《しんじつ》はニヤリとしながら言《い》った。

「ニセモノの海野氏《うみのし》が、水槽《すいそう》の底《そこ》にしずんだベニクラゲに対《たい》して、あのとき、何《なん》と言《い》ったか、その言葉《ことば》をよく思《おも》い出《だ》してごらん」

解決編《かいけつへん》

「あのとき、ニセモノの海野《うみの》さんは、『そりゃもうダメだ。死《し》んでいるよ。あとで使用《しよう》人《にん》に片《かた》づけさせよう』って言《い》ったのよね？」

美希《みき》が、思《おも》い出《だ》しながらつぶやく。

「そう。つまり、ニセモノの海野《うみの》氏《し》は、ベニクラゲを死《し》んだと思《おも》いこんでいたってことさ」

「でも、実際《じっさい》には、死《し》んでいなかった？」

「そのとおり。ベニクラゲは、『不死《ふし》』のクラゲなんだ」

「不死《ふし》!?　死《し》なないクラゲってこと？」

（まるで夢《ゆめ》のような話《はなし》だ！）

健太《けんた》は、ワクワクしながら、身《み》を乗《の》り出《だ》す。真実《しんじつ》は続《つづ》けた。

「ベニクラゲは、寿命《じゅみょう》を迎《むか》えたり、敵《てき》に襲《おそ》われて傷《きず》ついたりすると、水底《みなそこ》にしずんでポリプに戻《もど》ることがあるんだ。ポリプというのは、クラゲの幼生《ようせい》……つまりクラゲになる前《まえ》の段階《だんかい》の形《かたち》、いわば、クラゲの子《こ》ども時代《じだい》さ」

「えっ、ベニクラゲは死《し》にそうになると、子《こ》どもに戻《もど》るの!?」

「そう。ベニクラゲは何度《なんど》も若返《わかがえ》って成長《せいちょう》し、新《あたら》しい生《せい》を生《い》きることができるんだ」

「すごいわ！　生命《せいめい》の神秘《しんぴ》ね！」

ベニクラゲの生活《せいかつ》サイクル

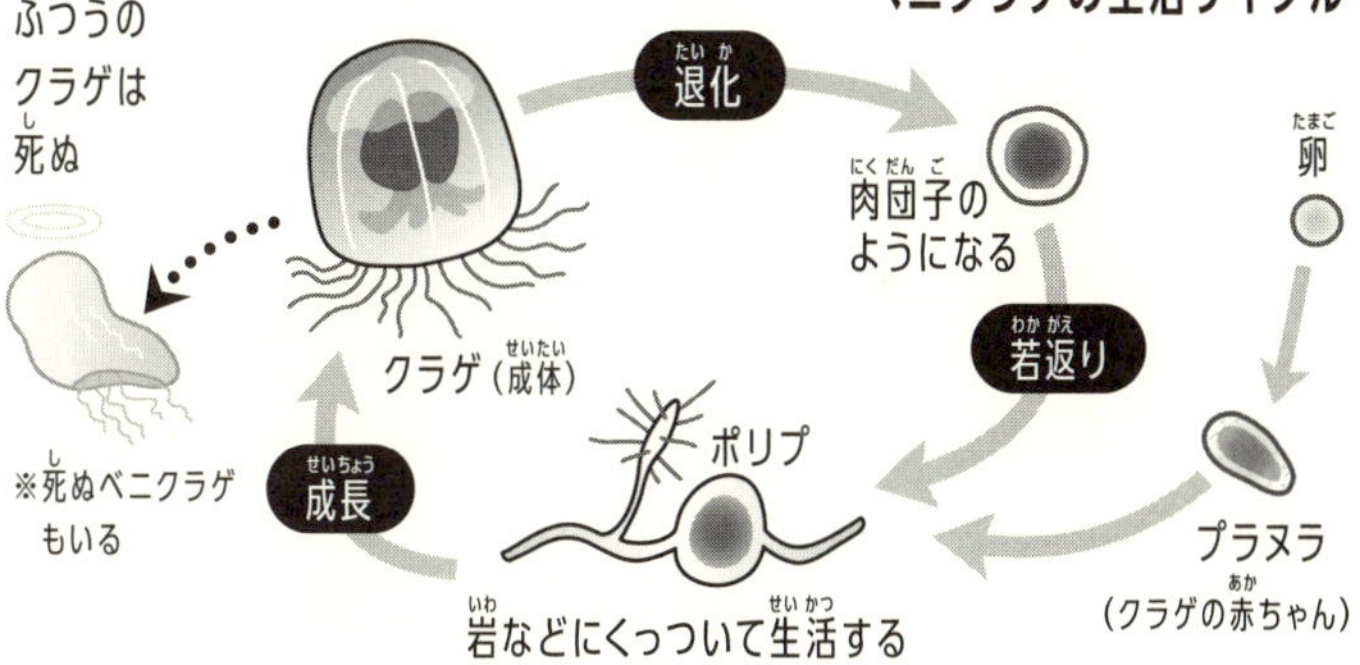
ふつうのクラゲは死《し》ぬ
退化《たいか》
肉団子《にくだんこ》のようになる
卵《たまご》
若返《わかがえ》り
クラゲ（成体《せいたい》）
ポリプ
成長《せいちょう》
※死《し》ぬベニクラゲもいる
プラヌラ
（クラゲの赤《あか》ちゃん）
岩《いわ》などにくっついて生活《せいかつ》する

美希《みき》は、ほおに手《て》をやり、目《め》を輝《かがや》かせた。

「ベニクラゲの若返《わかがえ》りのしくみが明《あき》らかになれば、人間《にんげん》にも応用《おうよう》できるかもしれない。もしかしたら、人類《じんるい》の夢《ゆめ》である、『不老不死《ふろうふし》』が可能《かのう》になるかもしれないんだ。だから、今《いま》、世界中《せかいじゅう》の科学者《かがくしゃ》がベニクラゲに注目《ちゅうもく》し、研究《けんきゅう》されているんだ」

真実《しんじつ》は、そう言《い》ったあと、顔《かお》を曇《くも》らせた。

「クラゲが好《す》きな人《ひと》なら、ベニクラゲが泳《およ》がなくなったら、若返《わかがえ》りのサイクルに入《はい》った可能性《かのうせい》に期待《きたい》するはずだ。だが、あの海野氏《うみのし》は、水槽《すいそう》を見《み》もせずに、すぐに死《し》んだと決《き》めつけた。明《あき》らかにニセモノだ。本物《ほんもの》の海野氏《うみのし》は、おそらく、この館《やかた》のどこかに監禁《かんきん》されているに違《ちが》いない……」

「たいへん！　早《はや》く助《たす》けなきゃ！」

飛《と》び出《だ》していこうとした健太《けんた》を、真実《しんじつ》はあわてて引《ひ》き留《と》める。

「ニセモノの海野氏《うみのし》……つまり強盗《ごうとう》に見《み》つかったら危険《きけん》だ。健太《けんた》くんと美希《みき》さんは、安《あん》全《ぜん》な場所《ばしょ》に避難《ひなん》して、警察《けいさつ》を呼《よ》んでくれ」

「真実《しんじつ》くんは、どうするの？　もしかして、１人《ひとり》で本物《ほんもの》の海野氏《うみのし》を助《たす》けにいくつもり?」

健太《けんた》に問《と》われ、真実《しんじつ》はだまりこむ。

「だったら、ぼくも一緒《いっしょ》に行《い》く。真実《しんじつ》くん1人《ひとり》を危険《きけん》な目《め》にあわせるわけにはいかないよ。真実《しんじつ》くんがなんと言《い》おうと、ぼくはついていくよ」

健太《けんた》は、決意《けつい》の表情《ひょうじょう》を浮《う》かべ、真実《しんじつ》の目《め》を見《み》ながら言《い》った。

真実《しんじつ》は、しばらくためらっていたが、あきらめたように、溜《た》め息《いき》をつく。

「……わかった。いっしょに行《い》こう。美希《みき》さん、1人《ひとり》にしてしまって申《もう》し訳《わけ》ないけど、警察《けいさつ》を呼《よ》んで、館《やかた》の中《なか》まで案内《あんない》してほしい」

「わかった。まかせて!」

美希《みき》は、警察《けいさつ》を呼《よ》びに館《やかた》の外《そと》へと向《む》かう。

真実《しんじつ》と健太《けんた》は、本物《ほんもの》の海野氏《うみのし》を捜《さが》して、館《やかた》の中《なか》を歩《ある》きはじめた。

2人《ふたり》は、1階《かい》の部屋《へや》をくまなく捜《さが》し、2階《かい》へと向《む》かう。

すると、ある部屋《へや》から、かすかな、うめき声《ごえ》が聞《き》こえてきた。

ドアを開《あ》けると、部屋《へや》の中《なか》には、口《くち》を粘着《ねんちゃく》テープでふさがれ、ロープでしばられている男性《だんせい》の姿《すがた》があった。

真実《しんじつ》と健太《けんた》は、すぐさま、男性《だんせい》の口《くち》から粘着《ねんちゃく》テープをはずし、ロープをほどく。

「あなたが、ぼくにメールをくださった、海野月太郎《うみのつきたろう》さんですね？」

真実《しんじつ》が問《と》いかけると、男性《だんせい》はうなずく。

本物《ほんもの》の海野氏《うみのし》は、小柄《こがら》で猫背《ねこぜ》。白髪《しらが》まじりのボサボサ頭《あたま》で、ビン底眼鏡《ぞこめがね》をかけている。ニセモノの海野氏《うみのし》とは、似《に》ても似《に》つかない風貌《ふうぼう》だった。

「そういうきみは、謎野真実《なぞのしんじつ》くんだね？　いやあ、助《たす》かった。ありがとう、本当《ほんとう》にありがとう……」

海野氏《うみのし》は、感激《かんげき》したようすで、真実《しんじつ》の手《て》を握《にぎ》りしめた。

（よかった。本物《ほんもの》の海野《うみの》さんを無事《ぶじ》、発見《はっけん》できて……）

健太《けんた》は、ホッと胸《むね》をなでおろした。

そのとき、コツコツという足音《あしおと》とともに、海野氏《うみのし》をよそおっていた強盗《ごうとう》が部屋《へや》に現《あらわ》れた。

「このガキ！　さっさと帰《かえ》りゃいいものを、オレの仕事《しごと》をじゃましやがって！」

強盗《ごうとう》は、真実《しんじつ》につかみかかる。

正体《しょうたい》がバレたとたん、開《ひら》き直《なお》ったのだ。

「やめろ!!　真実《しんじつ》くんを離《はな》せ!!」

健太《けんた》は体当《たいあ》たりで強盗《ごうとう》に突進《とっしん》したが、あっという間《ま》に振《ふ》りはらわれて、床《ゆか》に伸《の》びる。

「残念《ざんねん》だが、探偵《たんてい》ごっこはそこまでだ。オレの仕事《しごと》が終《お》わるまで、おまえたちには、ここでおとなしくしていてもらうよ」

強盗《ごうとう》は、そう言《い》って、スタンガンを取《と》り出《だ》した。

絶体絶命《ぜったいぜつめい》のピンチ――。

だが、そのとき、パトカーのサイレンの音《おと》が近《ちか》づいてくるのが聞《き》こえた。

「警察《けいさつ》だ！　美希《みき》ちゃんが呼《よ》んでくれたんだ！」

健太《けんた》が叫《さけ》んだ。

強盗《ごうとう》は「ちっ」と舌打《したう》ちし、金目《かねめ》のものをつめこんだボストンバッグを手《て》に、部屋《へや》を飛《と》び出《だ》していく。警察《けいさつ》が到着《とうちゃく》する前《まえ》に、逃《に》げ出《だ》そうと考《かんが》えたのだった。

強盗《ごうとう》が庭《にわ》に出《で》ると、ジェシカがじゃれついてきた。

ジェシカは、いつもエサをくれていた強盗《ごうとう》になついていたのだ。

「わ、こら、やめろ！　ジェシカ、離《はな》せ！」

ジェシカから逃《のが》れ、あわてて走《はし》りだした先《さき》には、プールがあった。強盗《ごうとう》は、プールサイドに転《ころ》がっていたジェシカのボールに足《あし》をすべらせ、ドボンとプールに落《お》ちる。

プールの中《なか》には、ラグビーボールのような形《かたち》のクラゲがたくさんいた。

「うわっ、クラゲ!?　ギャアアア、刺《さ》されるう〜〜！　助《たす》けてくれえ〜〜！」

美希《みき》の通報《つうほう》でかけつけてきた警察《けいさつ》は、クラゲのプールでジタバタともがいている強盗《ごうとう》の姿《すがた》を見《み》て、驚《おどろ》いた顔《かお》になった。

強盗《ごうとう》を追《お》いかけてきた真実《しんじつ》と健太《けんた》も、あぜんとする。

「そのクラゲはウリクラゲといって、無毒《むどく》のクラゲなんだけどね……」

真実《しんじつ》が、やれやれ、といった表情《ひょうじょう》でつぶやく。

プールから引《ひ》き揚《あ》げられた強盗《ごうとう》は、すぐさま、警察《けいさつ》に逮捕《たいほ》された。

クラゲの館《やかた》で起《お》きた不可思議《ふかしぎ》な強盗事件《ごうとうじけん》は、かくして真実《しんじつ》たちの活躍《かつやく》により、一件落《いっけんらく》着《ちゃく》したのである。

「クラゲの館事件《やかたじけん》」終《お》わり

奇《き》妙《みょう》なクラゲの世《せ》界《かい》

水《みず》の中《なか》をただようクラゲは、見《み》ているだけでいやされる生《い》き物《もの》として人気《にんき》です。でも、一口《ひとくち》にクラゲといっても、いろいろな種類《しゅるい》がいて、その暮《く》らしかたもさまざまです。

ウリクラゲ
刺胞《しほう》を持《も》たない、刺《さ》さないクラゲ。光《ひかり》を反射《はんしゃ》して虹色《にじいろ》に光《ひか》る。

タコクラゲ
体《からだ》の中《なか》にすむ植物《しょくぶつ》プランクトンが光合成《こうごうせい》でつくるエネルギーを使《つか》って、何《なに》も食《た》べずに生《い》きている！

カツオノエボシ
猛毒《もうどく》を持《も》つ危険《きけん》なクラゲ。1匹《ぴき》のクラゲに見《み》えるが、実《じつ》は、たくさんのポリプが集《あつ》まった集合体《しゅうごうたい》。

ハナガサクラゲ
強《つよ》い毒《どく》を持《も》つカラフルなクラゲ。昼《ひる》はあまり動《うご》かず、夜《よる》になると活発《かっぱつ》に泳《およ》ぐ。

オワンクラゲ
日本《にほん》の下村脩《しもむらおさむ》教授《きょうじゅ》が、オワンクラゲから緑色蛍光《りょくしょくけいこう》たんぱく質《しつ》を発見《はっけん》したことで、ノーベル賞《しょう》を受賞《じゅしょう》。

ミズクラゲの体《からだ》

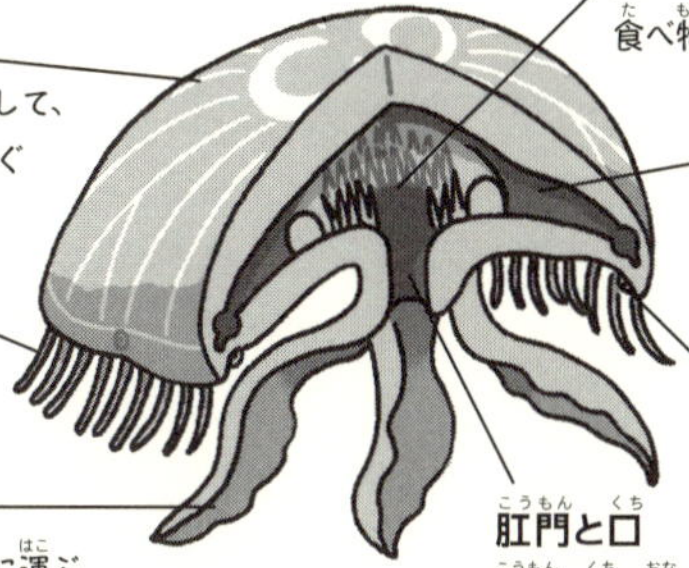
傘《かさ》
開《ひら》いたり閉《と》じたりして、
水流《すいりゅう》をつくって泳《およ》ぐ
触手《しょくしゅ》
刺胞《しほう》という
毒針《どくばり》が並《なら》ぶ
口腕《こうわん》
食《た》べ物《もの》を口《くち》に運《はこ》ぶ
胃《い》
食《た》べ物《もの》を消化《しょうか》する
水管《すいかん》
体《からだ》に栄養《えいよう》や
酸素《さんそ》を運《はこ》ぶ
眼点《がんてん》
光《ひかり》を感《かん》じる器官《きかん》
肛門《こうもん》と口《くち》
肛門《こうもん》と口《くち》は同《おな》じ

クラゲの体《からだ》は、
ゼリーのような
ゼラチン質《しつ》で
できているよ

エチゼンクラゲ
東《ひがし》シナ海《かい》で生《う》まれて、日本《にほん》の海《うみ》に流《なが》れつく巨大《きょだい》クラゲ。大《たい》量発生《りょうはっせい》して、漁業《ぎょぎょう》に被害《ひがい》を与《あた》えることもある。

カギノテクラゲ
強《つよ》い毒《どく》を持《も》つ小《ちい》さなクラゲ。海藻《かいそう》に付《ふ》着《ちゃく》して生活《せいかつ》する。海《かい》藻《そう》をうかつにさわると刺《さ》されるぞ！

怪奇事件《かいきじけん》ファイル7

森《もり》の神《かみ》の怒《いか》り

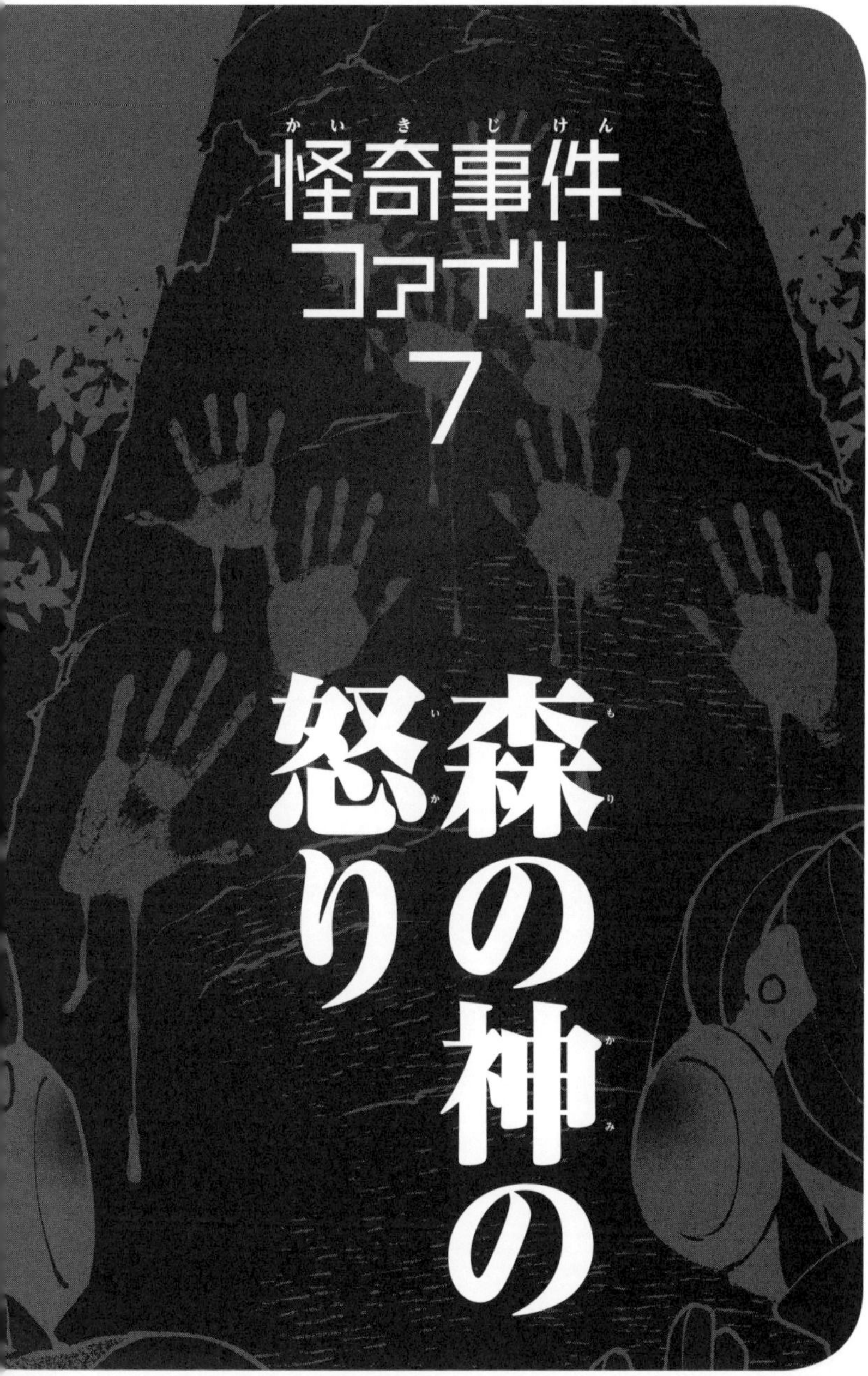

花森町《はなもりちょう》の郊外《こうがい》にある小《ちい》さな森《もり》。作業員《さぎょういん》たちがその森《もり》の中《なか》にある白樺《しらかば》の木《き》を切《き》り倒《たお》そうとしていた。

作業員《さぎょういん》の持《も》ったチェーンソーの刃《は》が、白樺《しらかば》の白《しろ》い幹《みき》に当《あ》たろうとする。まさにそのとき、突然《とつぜん》、木《き》の上《うえ》から水《みず》がしたたり落《お》ちてきた。

「何《なん》だ？」

作業員《さぎょういん》たちは、ぬれた白《しろ》い幹《みき》に見入《みい》る。まるで木《き》が泣《な》いているようだ。すると次《つぎ》の瞬間《しゅんかん》、その幹《みき》に何《なに》かがうっすらと現《あらわ》れた。

手形《てがた》だ。

白《しろ》い幹《みき》に次々《つぎつぎ》と手形《てがた》が現《あらわ》れる。そのどれもが赤《あか》い色《いろ》をしていた。

「血《ち》の手形《てがた》だ……。これが森《もり》の神《かみ》の怒《いか》り……」

「うわああ!!」

作業員《さぎょういん》たちは、あわててその場《ば》から逃《に》げ出《だ》した。

数日後《すうじつご》の花森小学校《はなもりしょうがっこう》。謎野真実《なぞのしんじつ》と宮下健太《みやしたけんた》は担任《たんにん》の大前先生《おおまえせんせい》に頼《たの》まれ、理科準備室《りかじゅんびしつ》

のそうじをしていた。

「わあ、すごい！　ねえねえ、真実《しんじつ》くん、見《み》て！」

健太《けんた》は部屋《へや》のすみにあった古《ふる》い段《だん》ボール箱《ばこ》を真実《しんじつ》に見《み》せた。

中《なか》には、手《て》づくりの実験道具《じっけんどうぐ》がいくつも入《はい》っていた。

「ああ、それは初代《しょだい》の理科《りか》クラブが使《つか》っていた道具《どうぐ》だねえ」

大前先生《おおまえせんせい》が人体模型《じんたいもけい》のほこりをはらいながら言《い》う。大前先生《おおまえせんせい》は現在《げんざい》の理科《りか》クラブの顧《こ》問《もん》をしている。

「理科《りか》クラブって、いつからあるんですか？」

真実《しんじつ》が尋《たず》ねると、大前先生《おおまえせんせい》は、「30年《ねん》ほど前《まえ》からあるみたいだね」と答《こた》えた。

「そんなに昔《むかし》からあるんだ！」

健太《けんた》が驚《おどろ》いて声《こえ》をあげる。

「当時《とうじ》、この学校《がっこう》にいた女性《じょせい》の先生《せんせい》が設立《せつりつ》したらしいよ。実験道具《じっけんどうぐ》はすべて、その先生《せんせい》がつくったみたいだね」

「そうなんだ。すごい先生《せんせい》がいたんだねえ」

健太《けんた》は段《だん》ボール箱《ばこ》の中《なか》の実験道具《じっけんどうぐ》を見《み》て感心《かんしん》する。

「その先生《せんせい》に会《あ》ってみたいものだね」

真実《しんじつ》もそう言《い》ってほほえんだ。しかし、大前先生《おおまえせんせい》によると、その先生《せんせい》はすでに定年退職《ていねんたいしょく》しているらしい。

そのとき、理科準備室《りかじゅんびしつ》の扉《とびら》が勢《いきお》いよく開《あ》いて、青井美希《あおいみき》が飛《と》びこんできた。

「真実《しんじつ》くん、大事件《だいじけん》よ！　森《もり》の神《かみ》が宿《やど》った木《き》が見《み》つかったの！」


翌日《よくじつ》の土曜日《どようび》。

真実《しんじつ》と健太《けんた》は、美希《みき》に連《つ》れられて、郊外《こうがい》の小《ち》さな森《もり》の入《い》り口《ぐち》にやってきた。

建設会社《けんせつがいしゃ》の社長《しゃちょう》をしている金田《かねだ》という人《ひと》が、ホームページにメールを送《おく》ってきた。その人《ひと》と今《いま》からここで会《あ》うことになっていたのだ。

「だけど、美希《みき》ちゃん、メールに書《か》かれてたことはホントなの？」

社長《しゃちょう》のメールによると、森《もり》の奥《おく》にある白樺《しらかば》の木《き》が涙《なみだ》を流《なが》し、無数《むすう》の赤《あか》い手形《てがた》が現《あらわ》れたというのだ。

(木《き》が泣《な》くってどういうこと？　それに赤《あか》い手形《てがた》が現《あらわ》れるって……)

健太《けんた》がそう思《おも》っていると、目《め》の前《まえ》に1台《だい》の高級車《こうきゅうしゃ》が止《と》まった。

「やあ、きみが謎野真実《なぞのしんじつ》くんかね」

車《くるま》から降《お》りてきたのは、口《くち》ヒゲを生《は》やした、かっぷくのいい男《おとこ》の人《ひと》だ。どうやら彼《かれ》がメールを送《おく》ってきた金田社長《かねだしゃちょう》のようだ。

「いやあ、きみのうわさは聞《き》いているよ。どんな不思議《ふしぎ》な事件《じけん》でも解決《かいけつ》するらしいね。そんなきみに、この事件《じけん》もぜひ解決《かいけつ》してほしいのだよ」

金田社長《かねだしゃちょう》の話《はなし》によると、市《し》の要請《ようせい》により、この森《もり》を開発《かいはつ》して住宅地《じゅうたくち》にする予定《よてい》なのだという。

「それなのに、作業員《さぎょういん》たちは森《もり》の神《かみ》が怒《おこ》っていると、すっかり怖《こわ》がってしまって、ぜんぜん作業《さぎょう》をしようとしないんだよ」

「神《かみ》が怒《おこ》ってる……」

健太《けんた》は目《め》の前《まえ》に広《ひろ》がる森《もり》を見《み》て、ただならぬ雰囲気《ふんいき》を感《かん》じ、ブルッと震《ふる》えた。

しかし、金田社長《かねだしゃちょう》はそんな健太《けんた》を笑《わら》った。

「はっはっは。森《もり》の神《かみ》なんているわけないだろう。どうせ作業員《さぎょういん》たちが何《なに》かと見間違《みまちが》えただけだよ」

金田社長《かねだしゃちょう》はそれを証明《しょうめい》するために、真実《しんじつ》に謎《なぞ》を解《と》き明《あ》かしてもらおうと思《おも》っていた。

「金田《かねだ》さんは、実際《じっさい》には見《み》てないってことなんですね？」

「ああ、わたしが確認《かくにん》をしにいったときには手形《てがた》などなかったよ。とにかく、今《いま》からその木《き》を謎野《なぞの》くんにも見《み》てもらおう」

真実《しんじつ》たちは金田社長《かねだしゃちょう》に連《つ》れられ、さっそくその木《き》の場所《ばしょ》まで行《い》くことにした。

すると、そんな真実《しんじつ》たちの前《まえ》に、1人《ひとり》のおばあさんが立《た》ちふさがった。

「この森《もり》には本当《ほんとう》に神《かみ》がいるのです。神《かみ》は怒《おこ》っています。今《いま》すぐ、住宅地《じゅうたくち》にする計画《けいかく》を中止《ちゅうし》にしてください」

「またあんたか！」

金田社長《かねだしゃちょう》はうっとうしそうな表情《ひょうじょう》でおばあさんを見《み》つめた。

すると、1人《ひとり》の男《おとこ》の人《ひと》がおばあさんのもとへ走《はし》ってきた。

「やっと見《み》つけた。ここにいらしたんですね～！」

なんと、真実《しんじつ》たちが通《かよ》う花森小学校《はなもりしょうがっこう》の熱血教師《ねっけつきょうし》、ハマセンこと浜田先生《はまだせんせい》だ。

「浜田先生《はまだせんせい》、こんなところで何《なに》してるんですか？」

「ん、青井《あおい》？　謎野《なぞの》に宮下《みやした》まで。おまえたちこそ、どうしてここにいるんだ？」

すると、おばあさんがハマセンを見《み》た。

「浜田《はまだ》くん、彼《かれ》らはあなたの教《おし》え子《ご》かしら？」

「あ、はい、そうなんですよ、幸村先生《ゆきむらせんせい》！」

「幸村《ゆきむら》、先生《せんせい》？」

ハマセンの話《はなし》によると、おばあさんはハマセンが子《こ》どものころ、花森小学校《はなもりしょうがっこう》に通《かよ》っていたときの先生《せんせい》で、今日《きょう》は森《もり》のゴミ拾《ひろ》いをいっしょにしていたらしい。

「幸村先生《ゆきむらせんせい》は、花森小学校《はなもりしょうがっこう》の理科《りか》クラブをつくった先生《せんせい》なんだぞ」

「えっ、じゃあ、あのたくさんの実験道具《じっけんどうぐ》をつくったのって！」

健太《けんた》は大前先生《おおまえせんせい》が昨日話《きのうはな》していた女《おんな》の先生《せんせい》が幸村先生《ゆきむらせんせい》だとわかり、興奮《こうふん》する。

「オレも理科《りか》クラブでいろいろ実験《じっけん》をしたなあ。無色透明《むしょくとうめい》のフェノールフタレイン溶《よう》液《えき》にアルカリ性《せい》の液体《えきたい》を入《い》れて赤色《あかいろ》に変《か》える実験《じっけん》とか、鉛筆《えんぴつ》の芯《しん》に電気《でんき》を通《とお》す実験《じっけん》と

か」

ハマセンは小学生時代《しょうがくせいじだい》を思《おも》い出《だ》し、笑《え》みを浮《う》かべる。

「浜田先生《はまだせんせい》、理科《りか》クラブに入《はい》ってたんだ……」

その意外性《いがいせい》に健太《けんた》が驚《おどろ》いていると、真実《しんじつ》がふと口《くち》を開《ひら》いた。

「幸村先生《ゆきむらせんせい》。この森《もり》に神《かみ》がいるというのは、木《き》に現《あらわ》れた赤《あか》い手形《てがた》のことですか？」

「ええ。この森《もり》は小《ちい》さいけど、いろいろな動物《どうぶつ》や生《い》き物《もの》が生息《せいそく》しているの。町《まち》のみんなのいこいの場所《ばしょ》にもなっているわ。だから住宅地《じゅうたくち》にされるとわかって、森《もり》の神《かみ》が怒《おこ》ったんだと思《おも》うわ」

しかしそれを聞《き》いた金田社長《かねだしゃちょう》が笑《わら》った。

「森《もり》の神《かみ》などいるわけがない。謎野《なぞの》くん、とっとと真相《しんそう》を調《しら》べてくれ」

「謎野《なぞの》くん？　どこかで聞《き》いたことがある名前《なまえ》ね」

「あ〜、幸村先生《ゆきむらせんせい》。謎野《なぞの》は科学探偵《かがくたんてい》として有名《ゆうめい》で、どんな不思議《ふしぎ》な事件《じけん》でも科学《かがく》の知識《ちしき》を使《つか》って解決《かいけつ》するんですよ」

ハマセンが説明《せつめい》すると、幸村先生《ゆきむらせんせい》は「そうなのね」とつぶやいた。

次《つぎ》の瞬間《しゅんかん》、幸村先生《ゆきむらせんせい》は真実《しんじつ》をじっと見《み》つめた。

「謎野《なぞの》くん、あなたに解《と》いてもらいたい謎《なぞ》が1つあるの。この町《まち》にあるホテルのプールに、『頭《あたま》だけの幽霊《ゆうれい》』が出《で》るらしいの！」

「頭《あたま》だけの幽霊《ゆうれい》？」

幸村先生《ゆきむらせんせい》の言葉《ことば》に、健太《けんた》と美希《みき》とハマセンは思《おも》わず声《こえ》をあげた。

幸村先生《ゆきむらせんせい》は、知《し》り合《あ》いのホテルの支配人《しはいにん》に調《しら》べてほしいと頼《たの》まれたが、なかなか予定《よてい》が合《あ》わず行《い》けていないというのだ。

「頭《あたま》だけの幽霊《ゆうれい》ですか。確《たし》かにおもしろそうですが」

そう言《い》いながらも真実《しんじつ》は森《もり》を見《み》つめた。

「今《いま》はここに現《あらわ》れる森《もり》の神《かみ》の謎《なぞ》を解《と》かないと」

だが、それを聞《き》いたハマセンが声《こえ》をあげた。

「謎野《なぞの》、幸村先生《ゆきむらせんせい》が困《こま》ってるんだぞ。おまえはそんなに冷《つめ》たい人間《にんげん》だったのか。なげかわしい。こっちはあとまわしにして、今《いま》すぐプールを調《しら》べにいってくれ」

健太《けんた》もにっこり笑《わら》って真実《しんじつ》に言《い》った。

「真実《しんじつ》くん。こっちはぼくたちがいるから。そもそも今日《きょう》、森《もり》の神《かみ》の怪奇現象《かいきげんしょう》が起《お》きるかどうかも、わからないもんね」

「そのとおり！　だから謎野《なぞの》、頼《たの》むぞ！」

2人《ふたり》にそう言《い》われ、真実《しんじつ》はしかたなく、頭《あたま》だけの幽霊《ゆうれい》の謎《なぞ》を解《と》くことにした。


真実《しんじつ》は、ホテルへやってきた。すると支配人《しはいにん》がかけ寄《よ》ってきた。

「幸村先生《ゆきむらせんせい》から聞《き》いたよ。ぜひお客《きゃく》さまを安心《あんしん》させてほしいんだ」

支配人《しはいにん》も花森小学校出身《はなもりしょうがっこうしゅっしん》で、幸村先生《ゆきむらせんせい》の教《おし》え子《ご》だったらしい。

ホテルは最近建《さいきんた》てられたのだが、プールに頭《あたま》だけの幽霊《ゆうれい》が現《あら》われ、それを何人《なんにん》もの客《きゃく》が目撃《もくげき》し、訪《おとず》れる人《ひと》が減《へ》っているのだという。

「それで困《こま》り果《は》てて、幸村先生《ゆきむらせんせい》に相談《そうだん》したんだよ」

「そうなんですね。とりあえず、そのプールを見《み》せてもらえますか？」

真実《しんじつ》は支配人《しはいにん》とともにホテルの庭《にわ》に移動《いどう》した。

そこには、まわりを植《う》えこみに囲《かこ》まれた、水族館《すいぞくかん》の水槽《すいそう》のような全面《ぜんめん》ガラス張《ば》りの

プールがあった。

「ホテルの名物《めいぶつ》にしたいと思《おも》って、ガラス張《ば》りのプールをつくったんだよ」

プールには男性客《だんせいきゃく》が１人《ひとり》泳《およ》いでいたが、首《くび》だけの幽霊《ゆうれい》など、どこにも見当《みあ》たらなかった。

「今日《きょう》はまだ現《あらわ》れていないようだねえ」

支配人《しはいにん》がそう言《い》った瞬間《しゅんかん》、少《すこ》し離《はな》れた場所《ばしょ》にいた女性客《じょせいきゃく》が悲鳴《ひめい》をあげた。

「きゃああ、頭《あたま》がプールに浮《う》いてる！」

真実《しんじつ》と支配人《しはいにん》が、急《いそ》いで女性《じょせい》のもとへかけ寄《よ》った。

「頭《あたま》はどこに現《あらわ》れたんですか？」

真実《しんじつ》が聞《き》くと、彼女《かのじょ》は、震《ふる》えながらプールを指《ゆび》さした。

真実《しんじつ》はプールを見《み》る。すると、植《う》えこみの向《む》こうに見《み》えるプールに、男《おとこ》の頭《あたま》だけが浮《う》かんでいた。

「ひいい、出《で》たー!!」

支配人《しはいにん》は頭《あたま》だけの幽霊《ゆうれい》を見《み》ておびえるが、真実《しんじつ》は冷静《れいせい》にその頭《あたま》を見《み》た。

「あれは、幽霊《ゆうれい》じゃありません。よく見《み》てください」

支配人《しはいにん》は真実《しんじつ》に言《い》われ、ふたたびよく見《み》る。そして、「あっ」と声《こえ》をあげた。

「さっきプールにいらしたお客《きゃく》さまだよね？」

「はい。そのとおりです」

真実《しんじつ》は支配人《しはいにん》のほうを見《み》た。

「科学《かがく》で解《と》けないナゾはない。これは偶然《ぐうぜん》が引《ひ》き起《お》こした現象《げんしょう》だったんです」

「どういうことだい？」

「プールの前《まえ》の植《う》えこみをよく見《み》てください」

支配人《しはいにん》と女性客《じょせいきゃく》は目《め》をこらしながら植《う》えこみを見《み》る。

すると、植《う》えこみの向《む》こうに、プールにいる男《おとこ》の人《ひと》の首《くび》から下《した》の体《からだ》だけが見《み》えて、
2人《ふたり》は驚《おどろ》く。

「ぬわっ！　どうなっているんだね？」

「すべては『光《ひかり》の屈折《くっせつ》』による錯覚《さっかく》だったんです。光《ひかり》は水《みず》の中《なか》を通《とお》るときに、屈折《くっせつ》、つまり曲《ま》がるんです。そのため、水面《すいめん》より上《うえ》の部分《ぶぶん》と下《した》の部分《ぶぶん》が、ずれて見《み》えてしまうの

で、男性《だんせい》の頭《あたま》と体《からだ》が別々《べつべつ》の場所《ばしょ》にあるように見《み》えたんです。コップに入《はい》ったストローがずれて見《み》えるのと同《おな》じです」

真実《しんじつ》たちが立《た》っている場所《ばしょ》からは、光《ひかり》の屈折《くっせつ》でずれた体《からだ》はちょうど植《う》えこみに隠《かく》れて見《み》えず、頭《あたま》だけが水面《すいめん》に浮《う》いているように見《み》えたのだ。

「なるほど、幽霊《ゆうれい》じゃないってことか。これは逆《ぎゃく》にホテルの宣伝《せんでん》に使《つか》えるねえ！」

支配人《しはいにん》はそう言《い》うと、満面《まんめん》の笑《え》みを浮《う》かべた。

真実《しんじつ》はそんな支配人《しはいにん》にあきれつつ、健太《けんた》たちの待《ま》つ森《もり》へ戻《もど》ることにした。

すでに夕方《ゆうがた》になり、徐々《じょじょ》に日《ひ》が落《お》ちてきている。真実《しんじつ》は森《もり》へと入《はい》り、健太《けんた》たちのもとへ向《む》かっ

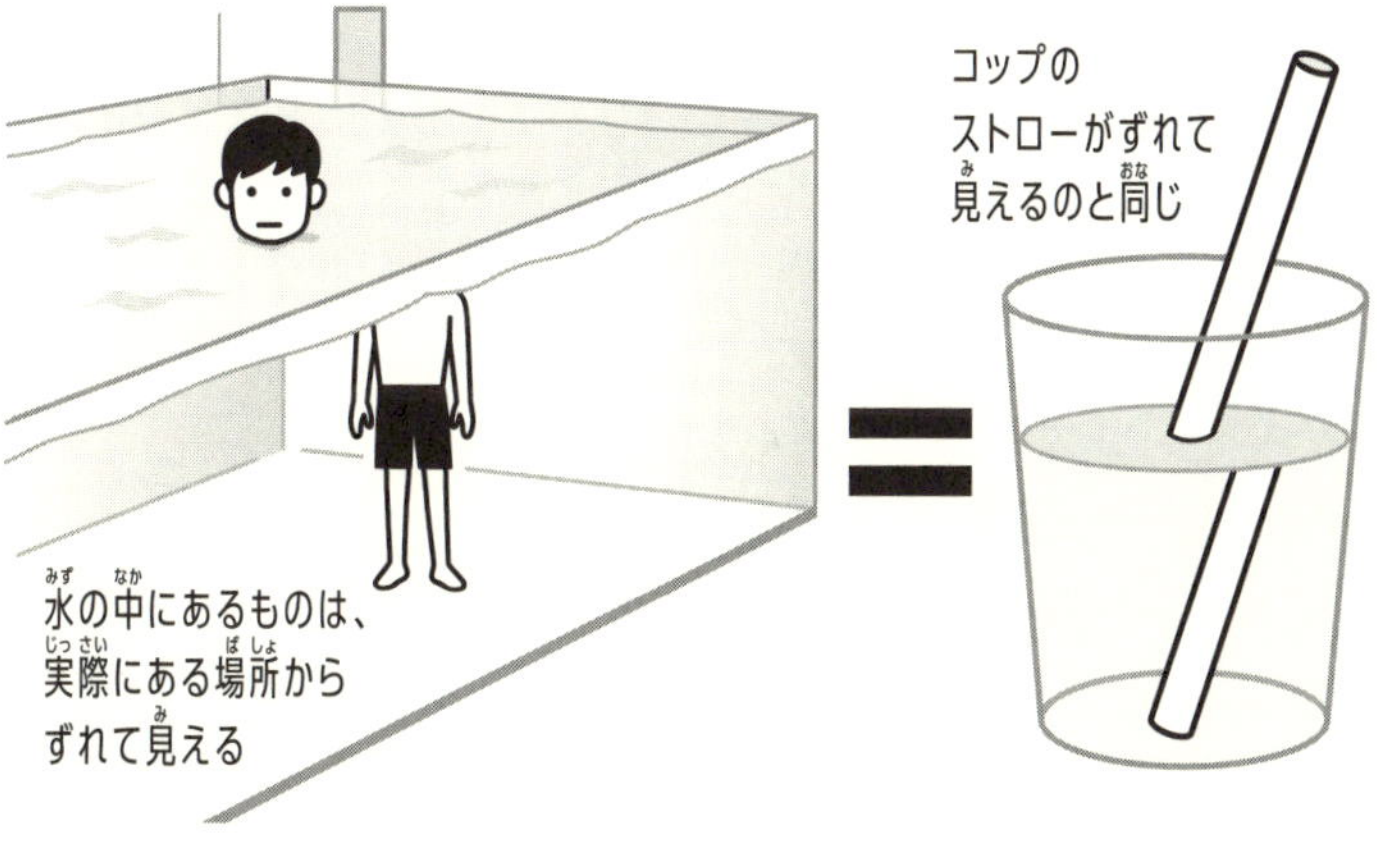
水《みず》の中《なか》にあるものは、実際《じっさい》にある場所《ばしょ》からずれて見《み》える
コップのストローがずれて見《み》えるのと同《おな》じ

た。

すると、白樺《しらかば》の木《き》の前《まえ》で、健太《けんた》たちが騒《さわ》いでいるのが見《み》えた。

健太《けんた》は真実《しんじつ》がいることに気《き》づき、声《こえ》をあげた。

「真実《しんじつ》くん、戻《もど》ってきてくれてよかった！　たいへんなことが起《お》きたんだ！」

なんと、白樺《しらかば》の木《き》が涙《なみだ》を流《なが》し、幹《みき》に赤《あか》い手形《てがた》が現《あらわ》れたというのだ。

「どの木《き》なんだい？」

金田社長《かねだしゃちょう》と幸村先生《ゆきむらせんせい》、ハマセン、美希《みき》が見守《みまも》るなか、真実《しんじつ》は健太《けんた》に案内《あんない》されて、怪奇《かいき》現象《げんしょう》が起《お》きた木《き》を見《み》た。

しかし、すでに手形《てがた》は消《き》えていた。

「涙《なみだ》が流《なが》れ続《つづ》けて、いつの間《ま》にか手形《てがた》は消《き》えちゃったんだ」

「美希《みき》さん、カメラでそのときの状況《じょうきょう》を撮《と》ってたりするかな？」

真実《しんじつ》は尋《たず》ねるが、美希《みき》は首《くび》を横《よこ》に振《ふ》った。

「ちょうど、幸村先生《ゆきむらせんせい》にカメラを貸《か》していたときに怪奇現象《かいきげんしょう》が起《お》きたの」

「ごめんなさいね。わたしが撮《と》ればよかったんだけど、びっくりしてしまって、それどころじゃなかったの……」

幸村先生《ゆきむらせんせい》の言葉《ことば》に、ハマセンは「しかたないですよ」とフォローした。

一方《いっぽう》、金田社長《かねだしゃちょう》はガタガタと体《からだ》を震《ふる》わせていた。

「こんなことが本当《ほんとう》に起《お》きるなんて……。森《もり》の神《かみ》が怒《おこ》っているんだ……」

金田社長《かねだしゃちょう》は怪奇現象《かいきげんしょう》を目《ま》の当《あ》たりにして完全《かんぜん》に信《しん》じてしまったようだ。

「真実《しんじつ》くん、どうしよう、謎《なぞ》を解《と》くことができるかな？」

「健太《けんた》くん、見《み》ていない状態《じょうたい》では解《と》くのは難《むずか》しいよ」

「そうだよね……」

そんななか、幸村先生《ゆきむらせんせい》は金田社長《かねだしゃちょう》のそばにやってきた。

「やはりこの森《もり》はこのままの状態《じょうたい》で残《のこ》しておくのがいちばんだと思《おも》います」

「うっ、それは……」

金田社長《かねだしゃちょう》は幸村先生《ゆきむらせんせい》に反論《はんろん》できなくなってしまう。

「確《たし》かに、開発《かいはつ》は中止《ちゅうし》にするよう、市《し》に言《い》ったほうがいいのかもしれない……」

金田社長《かねだしゃちょう》はつぶやくように言《い》った。

やがて、金田社長《かねだしゃちょう》は幸村先生《ゆきむらせんせい》とハマセンとともに森《もり》から出《で》ることにした。健太《けんた》と美希《みき》も、先生《せんせい》たちとともに行《い》こうとする。

しかし、真実《しんじつ》だけは白樺《しらかば》の木《き》の前《まえ》から動《うご》こうとしなかった。

「真実《しんじつ》くん……」

健太《けんた》はそんな真実《しんじつ》をじっと見《み》つめる。そして次《つぎ》の瞬間《しゅんかん》、そばにかけ寄《よ》った。

「ぼくは科学《かがく》の知識《ちしき》も推理力《すいりりょく》もないけど、それでも真実《しんじつ》くんの力《ちから》になりたい」

「健太《けんた》くん」

「怪奇現象《かいきげんしょう》を目撃《もくげき》したぼくなら、何《なに》か手《て》がかりを見《み》つけ出《だ》せるかも！」

健太《けんた》はそう言《い》うと、木《き》のまわりを調《しら》べはじめた。

「きっとどこかに手《て》がかりがあるはずなんだ！」

健太《けんた》は必死《ひっし》にあたりを探《さが》す。

しかし、手《て》がかりはまったく見《み》つからない。それでも健太《けんた》はあきらめようとしなかった。

健太《けんた》は木《き》のまわりをはいつくばって、手《て》がかりを探《さが》し続《つづ》けた。

「ちょっと健太《けんた》くん、服《ふく》がよごれちゃうわよ」

美希《みき》にそう言《い》われ、健太《けんた》は自分《じぶん》の着《き》ているものがドロだらけになっていることに気《き》づいた。

「木《き》のまわりが、ぬれてるでしょ。だからドロドロになっちゃったのよ」

「確《たし》かに、木《き》がずいぶん涙《なみだ》を流《なが》していたもんね」

2人《ふたり》の言葉《ことば》を聞《き》いて、真実《しんじつ》は木《き》の幹《みき》をじっと見《み》つめた。

「健太《けんた》くん、美希《みき》さん、木《き》からどんなふうに涙《なみだ》が流《なが》れたんだい？」

「ええっと、それは急《きゅう》に上《うえ》からこぼれるみたいに降《ふ》ってきて」

「そう、一瞬《いっしゅん》、雨《あめ》が降《ふ》ってきたのかと思《おも》ったわよね」

「なるほど……」

真実《しんじつ》は口元《くちもと》に手《て》をあてて何《なに》かを考《かんが》える。そして2人《ふたり》を見《み》た。

「きっとまだ木《き》の上《うえ》に、手《て》がかりが残《のこ》っているはずだ」

「木《き》の上《うえ》に？」

健太《けんた》と美希《みき》は木《き》を見上《みあ》げるが、日《ひ》が落《お》ち、うす暗《ぐら》いせいか、よく見《み》えない。

「これじゃあ探《さが》しようがないわ」

「だったら、ぼくに任《まか》せて！」

次《つぎ》の瞬間《しゅんかん》、健太《けんた》は木《き》を登《のぼ》りはじめた。

「ぼく、木《き》を登《のぼ》るの得意《とくい》なんだ！　これぐらいなら上《うえ》まで行《い》けるでしょ」

だがそのとき、健太《けんた》が「うわっ」と声《こえ》をあげた。

「健太《けんた》くん、だいじょうぶかい？」

「まさかケガでもしちゃったの？」

「そうじゃないよ。登《のぼ》ってたら体《からだ》にヘンな白《しろ》いものが付《つ》いちゃったんだ」

健太《けんた》の服《ふく》や手《て》には、白《しろ》い粉《こな》のようなものが付《つ》いていた。

「その白《しろ》い粉《こな》は……」

真実《しんじつ》はつぶやく。

そのとき――。

「ねえ、枝《えだ》に何《なん》かあるよ！」

枝《えだ》までたどりついた健太《けんた》が声《こえ》をあげた。

「健太《けんた》くん、何《なに》があったの？」

美希《みき》が下《した》から声《こえ》をかけると、健太《けんた》は枝《えだ》にはさむように置《お》かれていたものを手《て》に取《と》った。

それは、タイマーの付《つ》いたプラスチックのケースだった。

「どうしてそんなものがそこにあるのよ？」

「わからないけど、これ見《み》たことあるよ。ペットに水《みず》をやるときに使《つか》うんだ。タイマーがセットされていて、時間《じかん》になるとケースのフタが開《あ》いて、入《はい》っているエサとか水《みず》が出《で》るんだよ」

健太《けんた》の言葉《ことば》に、美希《みき》は首《くび》をかしげる。

「だけど、それがどうして木《き》の枝《えだ》に？」

すると、真実《しんじつ》が口《くち》を開《ひら》いた。

「健太《けんた》くん、それこそが最後《さいご》の手《て》がかりだったんだ」

「最後《さいご》の？」

健太《けんた》と美希《みき》は同時《どうじ》に声《こえ》をあげた。

「ああ、木《き》の上《うえ》にはきっと、これと同《おな》じものがいくつか置《お》かれているはずさ」

「真実《しんじつ》くん、もしかしてトリックがわかったの？」

「ああ、そして犯人《はんにん》が誰《だれ》なのかもわかった。だけど……」

真実《しんじつ》は、それ以上《いじょう》、何《なに》も言《い》おうとしなかった。

するとそんな真実《しんじつ》たちのもとへ、金田社長《かねだしゃちょう》とハマセンと幸村先生《ゆきむらせんせい》がやってきた。

「おまえたち、まだここにいたのか」

どうやら真実《しんじつ》たちがいないことに気《き》づき、戻《もど》ってきたようだ。

「浜田先生《はまだせんせい》、真実《しんじつ》くんが森《もり》の神《かみ》の正体《しょうたい》が何《なん》なのか、わかったみたいなんです！」

健太《けんた》がケースを持《も》って木《き》から下《お》りながらそう言《い》った。

「正体《しょうたい》がわかった？　謎野《なぞの》、どういうことだ？」

「健太《けんた》くんが木《き》の上《うえ》で見《み》つけたケースは、時間《じかん》が来《く》ると中《なか》に入《はい》っていたものが出《で》てくるようにセットされていたのです。中《なか》に入《はい》っていたもの、それは『水《みず》』。木《き》が流《なが》した涙《なみだ》はその水《みず》だったんです。そしてその水《みず》こそが、赤《あか》い手形《てがた》が現《あらわ》れるために必要《ひつよう》なものだったんです」

真実《しんじつ》は一同《いちどう》を見《み》ると、少《すこ》しためらいながらも、眼鏡《めがね》をクイッと上《あ》げた。

「科学《かがく》で解《と》けないナゾはない。ヒントは、『水《みず》』と『木《き》に付《つ》いていた白《しろ》い粉《こな》』。この2つを使《つか》って、白樺《しらかば》の木《き》の幹《みき》に、ある細工《さいく》がされていたんです」

はたして、木《き》の幹《みき》にされていた細工《さいく》とは？

解決編《かいけつへん》

「白《しろ》い粉《こな》？　それってこれのことだよね」

健太《けんた》は白《しろ》い粉《こな》が付《つ》いた手《て》をみんなに見《み》せた。そして、ふと、その手《て》で目《め》をこすろうとした。それを見《み》て、真実《しんじつ》は「あっ！」と声《こえ》をあげる。

するとそのとき、幸村先生《ゆきむらせんせい》がすかさず健太《けんた》の手《て》をつかんだ。

「その手《て》で目《め》をこすっちゃだめ！　せっけんの粉《こな》が目《め》に入《はい》ると危険《きけん》なのよ！」

「幸村先生《ゆきむらせんせい》、そんなにあわてて、どうしたの？」

とまどう健太《けんた》を見《み》て、幸村先生《ゆきむらせんせい》は思《おも》わずうろたえた。

真実《しんじつ》はそんな幸村先生《ゆきむらせんせい》をじっと見《み》つめた。

「そう、その白《しろ》い粉《こな》は『せっけん』です。木《き》の幹《みき》にあらかじめ付《つ》けられていた。その粉《こな》せっけんが、上《うえ》から垂《た》れてきた水《みず》と混《ま》じると、アルカリ性《せい》の液体《えきたい》になる。それが手形《てがた》の場所《ばしょ》まで流《なが》れ落《お》ちたことで、赤《あか》い手形《てがた》が浮《う》かび上《あ》がったのです」

「それって、あのアルカリ性《せい》で赤《あか》くなるフェノールフタレイン溶液《ようえき》の実験《じっけん》のことか？」

ハマセンの言葉《ことば》に、真実《しんじつ》は小《ちい》さくうなずいた。

「犯人《はんにん》はあらかじめ、手袋《てぶくろ》をはめてフェノールフタレイン溶液《ようえき》で木《き》の幹《みき》に手形《てがた》を付《つ》けていました。フェノールフタレイン溶液《ようえき》は無色透明《むしょくとうめい》なので、そのままでは見《み》えません。しかし、アルカリ性《せい》のせっけん水《すい》と反応《はんのう》し、赤《あか》くなったのです。そして

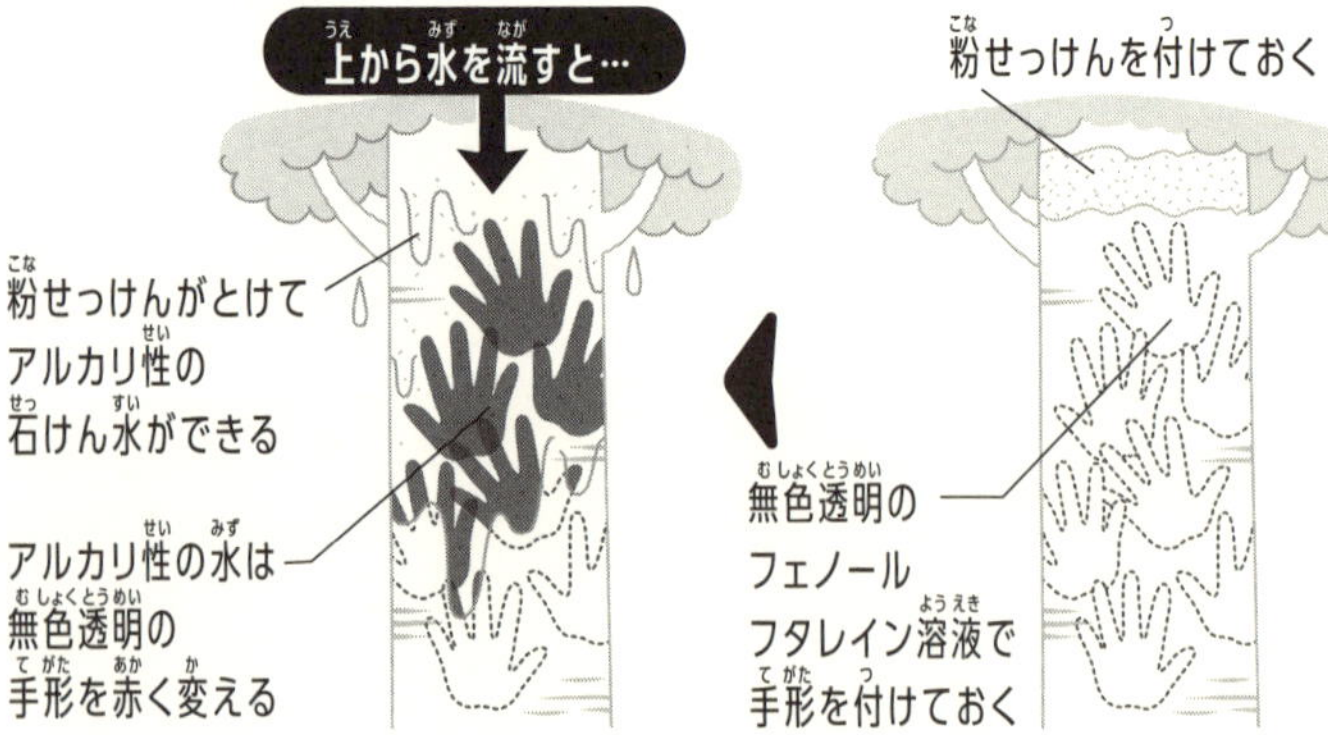

粉《こな》せっけんを付《つ》けておく
無色透明《むしょくとうめい》のフェノールフタレイン溶液《ようえき》で手形《てがた》を付《つ》けておく
上《うえ》から水《みず》を流《なが》すと…
粉《こな》せっけんがとけてアルカリ性《せい》の石《せっ》けん水《すい》ができる
アルカリ性《せい》の水《みず》は無色透明《むしょくとうめい》の手形《てがた》を赤《あか》く変《か》える

そのあと、水《みず》が流《なが》れ続《つづ》けて、手形《てがた》を洗《あら》い流《なが》して消《け》してしまったのです」

「そうだったんだ！　だけど、白《しろ》い粉《こな》はいろいろあるのに、どうして幸村先生《ゆきむらせんせい》はぼくの服《ふく》に付《つ》いていたのが、粉《こな》せっけんだってわかったの？」

健太《けんた》の言葉《ことば》に、真実《しんじつ》はだまりこむ。

すると、幸村先生《ゆきむらせんせい》が口《くち》を開《ひら》いた。

「それは、わたしが犯人《はんにん》だからよ」

「えええ!?」

「謎野《なぞの》くんをホテルの調査《ちょうさ》に向《む》かわせたのは、この怪奇現象《かいきげんしょう》を直接《ちょくせつ》見《み》られるとトリックを見破《みやぶ》られると思《おも》ったからなの。そして、怪奇現象《かいきげんしょう》を起《お》こす直前《ちょくぜん》に青井《あおい》さんのカメラを借《か》りたのも、写真《しゃしん》を撮《と》られないようにするためだった」

幸村先生《ゆきむらせんせい》は悲痛《ひつう》な表情《ひょうじょう》を浮《う》かべ、みんなを見《み》た。

「いつバレるかずっとドキドキしていたわ……。やっぱり、科学《かがく》を悪《わる》いことに使《つか》うべきじゃないわね。だけど、この森《もり》の自然《しぜん》を残《のこ》しておきたかったの。この森《もり》は、いつの時代《じだい》でも子《こ》どもたちを笑顔《えがお》にしてくれるから。……みなさん、こんなことをしてしまってごめんなさい」

幸村先生《ゆきむらせんせい》はそう言《い》うと、みんなに向《む》かって頭《あたま》を下《さ》げるのだった。


数日後《すうじつご》。

真実《しんじつ》と健太《けんた》は教室《きょうしつ》で幸村先生《ゆきむらせんせい》の話《はなし》をしていた。

「幸村先生《ゆきむらせんせい》は、森《もり》を守《まも》りたくてあんなことをしたんだよね……」

健太《けんた》は謎《なぞ》が解《と》けたのはうれしかったが、幸村先生《ゆきむらせんせい》の気持《きも》ちもよくわかった。

「幸村先生《ゆきむらせんせい》は悪《わる》い先生《せんせい》じゃないよね？　粉《こな》せっけんの付《つ》いた手《て》で目《め》をこすろうとしたぼくを止《と》めてくれたし。何《なん》とか、森《もり》を守《まも》れる方法《ほうほう》があればいいんだけど」

「そればかりは、どうすることもできないね……」

真実《しんじつ》も健太《けんた》と同《おな》じように、幸村先生《ゆきむらせんせい》の気持《きも》ちはよくわかっていた。

そこへ、美希《みき》がかけこんできた。

「すごいことになってるわよ！　ハマセンがアップした動画《どうが》がバズったの！」

美希《みき》はタブレットを机《つくえ》の上《うえ》に置《お》くと、真実《しんじつ》たちにその動画《どうが》を見《み》せた。

「ええ、オレは浜田《はまだ》といいます。小学校《しょうがっこう》の教師《きょうし》をしています。オレが教師《きょうし》になりたいと思《おも》ったのは、小学生《しょうがくせい》の担任《たんにん》だった幸村先生《ゆきむらせんせい》のおかげです。オレは友達《ともだち》もいなくて勉強《べんきょう》も苦手《にがて》でした。だけど、幸村先生《ゆきむらせんせい》に理科《りか》の実験《じっけん》を見《み》せてもらったり、森《もり》に行《い》って植物《しょくぶつ》や昆《こん》虫《ちゅう》のことを教《おし》えてもらったりしました。それをきっかけに、オレはみんなと仲良《なかよ》くなれたんです。勉強《べんきょう》も好《す》きになりました。今回《こんかい》、幸村先生《ゆきむらせんせい》は事件《じけん》を起《お》こしてしまいました。だけど、それはみんなにとって大切《たいせつ》な森《もり》を守《まも》るためだったんです。みなさん、あの森《もり》へ一度《いちど》行《い》ってみてください。幸村先生《ゆきむらせんせい》のしたことは、許《ゆる》されることではありません。だけど、オレにとって幸村先生《ゆきむらせんせい》はあこがれの先生《せんせい》です。それは、これからもずっと変《か》わりません」

動画《どうが》の中《なか》のハマセンは、真剣《しんけん》な表情《ひょうじょう》でそう言《い》っていた。

「ハマセン……」

健太《けんた》も同《おな》じ意見《いけん》だ。

すると、美希《みき》がにっこりと笑《わら》った。

「この動画《どうが》がバズったおかげで奇跡《きせき》が起《お》きたの。――市長《しちょう》が住宅地《じゅうたくち》の開発《かいはつ》の中止《ちゅうし》を検討《けんとう》しはじめたらしいわ」

「えええ？　それって森《もり》が残《のこ》るってこと？」

「ええ。みんなが市《し》に連絡《れんらく》したんだって。あの森《もり》は大切《たいせつ》な場所《ばしょ》だって――」

それを聞《き》き、健太《けんた》は笑顔《えがお》になる。真実《しんじつ》もほほえんだ。

「科学《かがく》だけでは解決《かいけつ》できないことも、世《よ》の中《なか》にはまだあるのかもしれないね」

「さあ、真実《しんじつ》くん、今日《きょう》もホームページに依頼《いらい》がきてるわよ」

「真実《しんじつ》くん、今度《こんど》もぼくが協力《きょうりょく》するよ！」

「ああ、よろしく頼《たの》むよ」

真実《しんじつ》は健太《けんた》たちとともに、今日《きょう》もさまざまな謎《なぞ》を解《と》き明《あ》かすのだった。

「森《もり》の神《かみ》の怒《いか》り」終《お》わり

酸《さん》性《せい》とアルカリ性《せい》って何《なん》だ？

水溶液《すいようえき》は、「酸性《さんせい》」「中《ちゅう》性《せい》」「アルカリ性《せい》」に分《わ》けられます。酸《さん》性《せい》かアルカリ性《せい》かによって、水溶液《すいようえき》の性質《せいしつ》は違《ちが》ってきます。

酸《さん》性《せい》やアルカリ性《せい》の度《ど》合《あ》いは、水溶液《すいようえき》にどのくらい「水素《すいそ》イオン」という物質《ぶっしつ》が含《ふく》まれているかによって決《き》まります。

8
9
10
11
12
13
14
水素《すいそ》イオンが少《すく》ない
重曹
重曹《じゅうそう》
せっけん
こんにゃく
漂白剤
塩素系漂白剤《えんそけいひょうはくざい》

アルカリ性《せい》

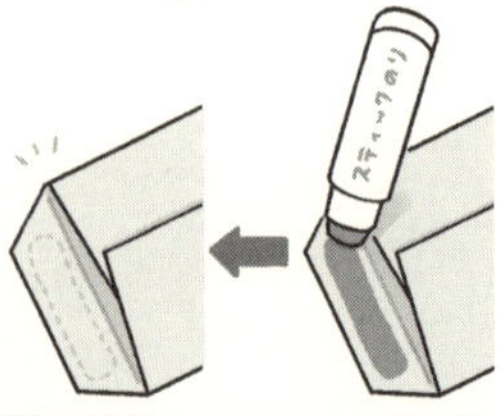
スティックのり

中性《ちゅうせい》で透明《とうめい》に！　アルカリ性《せい》で青《あお》

色《いろ》が消《き》えるのりの秘密《ひみつ》

ぬるときは青色《あおいろ》で乾《かわ》くと色《いろ》が消《き》えるのりには、アルカリ性《せい》では青《あお》、中性《ちゅうせい》では透明《とうめい》になる成分《せいぶん》が含《ふく》まれている。のりは、もともとアルカリ性《せい》だが、紙《かみ》にぬると空気中《くうきちゅう》の二酸化炭素《にさんかたんそ》や酸性《さんせい》の紙《かみ》に触《ふ》れて中性《ちゅうせい》になるので、のりの色《いろ》が消《き》えるんだ。

アルカリ性《せい》、酸性《さんせい》が
強《つよ》いものは、
危険《きけん》なものが多《おお》い。
口《くち》に入《い》れたり、
触《さわ》ったりしないようにね

pH《ピーエイチ》とは?

酸性《さんせい》やアルカリ性《せい》の度合《どあ》いを表《あらわ》す単《たん》位《い》。水素《すいそ》イオン濃度指数《のうどしすう》。中性《ちゅうせい》が7で、それより数字《すうじ》が小《ちい》さいほど酸性《さんせい》が強《つよ》く、大《おお》きいほどアルカリ性《せい》が強《つよ》い。

※pHは、「ペーハー」とも読《よ》む

pH《ピーエイチ》
0 1 2 3 4 5 6 7
酸性《さんせい》
水素《すいそ》イオンが多《おお》い
酢
酢《す》
胃液《いえき》
レモン汁《じる》
肌《はだ》
中性《ちゅうせい》
飲料水《いんりょうすい》

肌《はだ》が弱酸性《じゃくさんせい》なのはどうして?

人間《にんげん》の肌《はだ》は、pH《ピーエイチ》4.5〜6の弱酸性《じゃくさんせい》に保《たも》たれている。これは、体《からだ》を守《まも》る菌《きん》がすみやすく、皮膚炎《ひふえん》を起《お》こす原因《げんいん》となる黄色《おうしょく》ブドウ球菌《きゅうきん》が増《ふ》えにくい環《かん》境《きょう》だからだ。肌《はだ》を弱酸性《じゃくさんせい》に保《たも》つため、洗顔《せんがん》フォームなども弱酸性《じゃくさんせい》のものが多《おお》いんだ。

花森小新聞《はなもりしょうしんぶん》

花森小学校《はなもりしょうがっこう》
新聞部発行《しんぶんぶはっこう》
責任編集《せきにんへんしゅう》：
青井美希《あおいみき》

スクープ！ 呪《のろ》いの仏像《ぶつぞう》オークションに!!

手《て》にした者《もの》が不幸《ふこう》になるという"血《ち》ぬりの仏像《ぶつぞう》"は、誰《だれ》の手《て》に!?

オークションに出品《しゅっぴん》される仏像《ぶつぞう》。
呪《のろ》いのうわさとは裏腹《うらはら》に慈悲《じひ》深《ぶか》い表情《ひょうじょう》だ

美術商《びじゅつしょう》の古金集太郎《ふるがねしゅうたろう》氏《し》の貴重《きちょう》なコレクションが、オークションに出品《しゅっぴん》されることがわかった。いちばんの注目《ちゅうもく》は、古金氏《ふるがねし》が最《もっと》も愛《あい》した「赤《あか》い仏像《ぶつぞう》」——手《て》にした者《もの》が不幸《ふこう》になるといううわさの、呪《のろ》われたシロモノだ。

しかし、意外《いがい》にも、有名《ゆうめい》ミュージシャンやグローバル企業《きぎょう》のCEO《シーイーオー》、世界的《せかいてき》アイチューバーなど、世界中《せかいじゅう》から問《と》い合《あ》わせが来《き》ているという。次《つぎ》はどんな物好《ものず》きな人《ひと》の手《て》に渡《わた》るのだろうか。

新《しん》バトル勃発《ぼっぱつ》!?『雪男《ゆきおとこ》はいるか？』

6年《ねん》3組《くみ》で新《あら》たなバトルが勃発《ぼっぱつ》した。「雪男《ゆきおとこ》は絶対《ぜったい》いる！」と主張《しゅちょう》する星野宙人《ほしのそらと》くんたち男子《だんし》3人《にん》と、「雪男《ゆきおとこ》なんて絶対《ぜったい》いない！」と否定《ひてい》する、信城《しんじょう》カズミさんたち女子《じょし》3人《にん》だ。「最近《さいきん》の研究《けんきゅう》でも、ヒマラヤの雪男《ゆきおとこ》は、クマの可能性《かのうせい》が高《たか》いって言《い》われてるし！」と完全《かんぜん》否定《ひてい》のカズミさん。宙人《そらと》くんは「ヒマラヤ以外《いがい》にも、カナダやロシアでも雪男《ゆきおとこ》は目撃《もくげき》されている。絶対《ぜったい》いるはずだ！」と熱《あつ》く語《かた》る。

一方《いっぽう》、謎野真実《なぞのしんじつ》くんは「ノーコメント」とのこと。どうやら「宇宙人《うちゅうじん》事件《じけん》」でこりごりのようすだ。

雪男《ゆきおとこ》について熱《あつ》く語《かた》る星野《ほしの》くん

独占《どくせん》!!レポート

馬洲毛学園中学《ばすけがくえんちゅうがく》バスケ部《ぶ》 新記録《しんきろく》を達成《たっせい》!!

あの強豪《きょうごう》・馬洲毛学園《ばすけがくえん》中学《ちゅうがく》バスケ部《ぶ》が、新《あら》たな記録《きろく》を打《う》ち立《た》てた。ただし、バスケの記録《きろく》ではなく、大食《おおぐ》い記録《きろく》だ。

部長《ぶちょう》の長田《おさだ》くんの実家《じっか》の中華料理店《ちゅうかりょうりてん》で、部員《ぶいん》の流山《ながれやま》くんと取部《とりぶ》くんが「餃子《ギョーザ》15人前《にんまえ》食《た》べたら会計《かいけい》タダ」に挑戦《ちょうせん》。バスケでもライバル同士《どうし》の2人《ふたり》は、競《きそ》うように次々《つぎつぎ》におかわりし、なんと2人《ふたり》で50人前《にんまえ》を完食《かんしょく》！「負《ま》けたくなくて、つい熱《あつ》くなっちゃいました」と笑《わら》う取部《とりぶ》くん。にんにくパワーで、バスケで夢《ゆめ》の全国大会制覇《ぜんこくたいかいせいは》も近《ちか》い？

新記録達成《しんきろくたっせい》の瞬間《しゅんかん》の流山《ながれやま》くん（左《ひだり》）と取部《とりぶ》くん

速報《そくほう》! 完全寺満夫《かんぜんじみつお》 多田里村《たたりむら》に出没《しゅつぼつ》

善良《ぜんりょう》な人々《ひとびと》をだまし、あちこちでおふだを売《う》りつけている、あの完全寺《かんぜんじ》満夫《みつお》が、今度《こんど》は多田里村《たたりむら》に現《あらわ》れた。村人《むらびと》たちにおふだを売《う》りつけようとしたが、相手《あいて》にされず、ションボリしている姿《すがた》を、多田里村《たたりむら》ツアーの参加者《さんかしゃ》たちが目撃《もくげき》！ 新聞部《しんぶんぶ》に情報《じょうほう》が寄《よ》せられた。完《かん》全寺《ぜんじ》はその後《ご》、温泉《おんせん》に入《はい》って、元気《げんき》を取《と》り戻《もど》していたのだとか。まったくこりないおじさんだ。

青空科学教室《あおぞらかがくきょうしつ》が大盛況《だいせいきょう》!!!

「森《もり》の神《かみ》の怒《いか》り」事件《じけん》を起《お》こした幸村先生《ゆきむらせんせい》は、深《ふか》く反省《はんせい》し、みんなに科学《かがく》のおもしろさを知《し》ってもらおうと、毎週日曜日《まいしゅうにちようび》、元教《もとおし》え子《ご》の浜田先生《はまだせんせい》とともに、森《もり》で青空科学教《あおぞらかがくきょう》室《しつ》を開催《かいさい》している。参加《さんか》費《ひ》は無料《むりょう》。毎回《まいかい》さまざまな科学実験《かがくじっけん》が行《おこな》われ、子《こ》どもたちだけでなく、大人《おとな》も楽《たの》しめる教室《きょうしつ》になっている。次回《じかい》のゲストは、謎野真実《なぞのしんじつ》くん。どんな科学実験《かがくじっけん》が行《おこな》われるのか気《き》になるところだ。

前回《ぜんかい》の青空科学教室《あおぞらかがくきょうしつ》のようす

編集後記《へんしゅうこうき》

クラゲ好《ず》きの海野月太郎氏《うみのつきたろうし》は、クラゲを食《た》べるのも大好《だいす》きなんだそうで……。さっそく取材《しゅざい》したところ、海野氏自《うみのしみずか》らが腕《うで》をふるってごちそうしてくれた。その名《な》も、クラゲとちくわのサラダ。洗《あら》って水《みず》を切《き》った生《なま》クラゲに、細《ほそ》く切《き》ったキュウリとちくわ、しょうゆ、砂糖《さとう》、ごま油《あぶら》、酢《す》、鶏《とり》がらスープの素《もと》などの調味料《ちょうみりょう》を混《ま》ぜるだけ。つくり方《かた》は超簡単《ちょうかんたん》、しかも美味《びみ》！ ぜひ、お試《ため》しあれ！ （M・A《エムエー》）

秘

No. 002

宮下健太《みやしたけんた》

年齢《ねんれい》　12歳《さい》
身長《しんちょう》　150cm
誕生日《たんじょうび》　7月20日《がつはっか》
夢《ゆめ》　都道府県《とどうふけん》の形《かたち》をしたキーホルダーを集《あつ》めて、日本地図《にほんちず》を完成《かんせい》させること。
愛読書《あいどくしょ》　恐井恐子《こわいきょうこ》『妖怪探偵《ようかいたんてい》ヨーカイくん』(全《ぜん》4巻《かん》)

青井美希《あおいみき》とは幼《おさな》なじみ

美希《みき》とは、家《いえ》が近所《きんじょ》で、保育《ほいく》園《えん》のときからの幼《おさな》なじみ。お母《かあ》さんどうしも仲《なか》がよく、健《けん》太《た》は、なぜか美希《みき》のお母《かあ》さんに頼《たよ》りにされている。

昆虫《こんちゅう》には詳《くわ》しい

理科《りか》は苦手《にがて》だが、昆虫《こんちゅう》のことには、かなり詳《くわ》しい。昆虫《こんちゅう》の習性《しゅうせい》を利用《りよう》して、小《ちい》さな女《おんな》の子《こ》を助《たす》けたこともある。

お守《まも》りや魔《ま》よけグッズに頼《たよ》りがち

怪奇《かいき》スポットに行《い》くときは、体中《からだじゅう》にびっしり、お守《まも》りや魔《ま》よけグッズを付《つ》ける。完全寺《かんぜんじ》が売《う》っているインチキおふだにだまされそうになったこともある。

落《お》ち込《こ》んだときはメロンソーダ

かき氷《ごおり》のシロップを炭酸《たんさん》で割《わ》ったような、どす甘《あま》いメロンソーダを飲《の》むと、元気《げんき》が出《で》る。ちなみに、かき氷《ごおり》のシロップをそのまま飲《の》むのも好《す》き。

Confidential file

著者紹介

佐東みどり

脚本家・作家。アニメ「サザエさん」「ハローキティとあそぼう！まなぼう！」などを担当。小説に「恐怖コレクター」シリーズ、「謎新聞ミライタイムズ」シリーズ、「怪狩り」シリーズなどがある。

（執筆：ファイル1、7）

石川北二

監督・脚本家。脚本家として、映画「かずら」（共同脚本）、映画「燐寸少女 マッチショウジョ」などを担当。監督としての代表作に、映画「ラブ★コン」などがある。

（執筆：ファイル5）

木滝りま

脚本家・作家。脚本家として、ドラマ「念力家族」「ほんとにあった怖い話」、アニメ「スイートプリキュア♪」など。代表作に、『世にも奇妙な物語 ドラマノベライズ 恐怖のはじまり編』がある。

（執筆：ファイル4、6）

田中智章

監督・脚本家。脚本家として、アニメ「ドラえもん」、映画「シャニダールの花」などを担当。監督としての代表作に、映画「放課後ノート」「花になる」などがある。

（執筆：ファイル2、3）

挿画

木々（KIKI）

マンガ家・イラストレーター。代表作に、「バリエ ガーデン」シリーズ、「ラヴ ミー テンダー」シリーズなどがある。

公式サイト：http://www.kikihouse.com/

ブックデザイン
アートディレクション

辻中浩一
＋
吉田帆波（ウフ）

※この本のファイル1〜5、7は朝日小学生新聞（2021年2月〜3月）が初出。ファイル6は書き下ろしです。

好評発売中《こうひょうはつばいちゅう》！

科学《かがく》で解《と》けないナゾはない！

科学探偵《かがくたんてい》 謎野真実《なぞのしんじつ》シリーズ

行方不明《ゆくえふめい》になった
父《ちち》・快明《かいめい》の手《て》がかりを求《もと》めて、
花森小学校《はなもりしょうがっこう》に転校《てんこう》してきた謎野真実《なぞのしんじつ》。
クラスメートの宮下健太《みやしたけんた》や、
新聞部部長《しんぶんぶぶちょう》の青井美希《あおいみき》とともに、
さまざまな謎《なぞ》を解《と》くうち、
父《ちち》の失踪《しっそう》にまつわる
恐《おそ》ろしい秘密《ひみつ》が明《あき》らかに――。

01
科学探偵《かがくたんてい》 vs.《ブイエス》
学校《がっこう》の七不思議《ななふしぎ》

謎解《なぞと》きを依頼《いらい》されて出向《でむ》いた先《さき》は、
呪《のろ》われた村《むら》だった。
次々現《つぎつぎあらわ》れる妖怪《ようかい》の正体《しょうたい》を、
真実《しんじつ》は科学《かがく》で解明《かいめい》できるのか!?

科学探偵《かがくたんてい》 vs.《ブイエス》
妖魔《ようま》の村《むら》

IQ《アイキュー》200の天才探偵《てんさいたんてい》が
不思議《ふしぎ》な事件《じけん》を科学《かがく》で解決《かいけつ》！

一緒《いっしょ》に考《かんが》える **問題編《もんだいへん》** ＋ 図解《ずかい》でわかりやすい **解決編《かいけつへん》** ＋ 理科《りか》に詳《くわ》しくなる **コラム**

1冊《さつ》に4～7話収録《わしゅうろく》!
読《よ》むと理科《りか》に強《つよ》くなる!

05

科学探偵《かがくたんてい》 vs.《ブイエス》
消滅《しょうめつ》した島《しま》

04

科学探偵《かがくたんてい》 vs.《ブイエス》
闇《やみ》のホームズ学園《がくえん》

03

科学探偵《かがくたんてい》 vs.《ブイエス》
魔界《まかい》の都市伝説《としでんせつ》

02

科学探偵《かがくたんてい》 vs.《ブイエス》
呪《のろ》いの修学旅行《しゅうがくりょこう》

最強《さいきょう》のライバル、現《あらわ》る！念《ねん》
力《りき》、千里眼《せんりがん》、壁抜《かべぬ》け、透視《とうし》、念《ねん》
写《しゃ》、空中浮遊《くうちゅうふゆう》……。
真実《しんじつ》と、超能力少年《ちょうのうりょくしょうねん》との対決《たいけつ》！

科学探偵《かがくたんてい》 vs.《ブイエス》
超能力少年《ちょうのうりょくしょうねん》

花森町《はなもりちょう》が
AI《エーアイ》に支配《しはい》された！
AI《エーアイ》をあやつる
黒幕《くろまく》とは？
真実《しんじつ》は、全知全能《ぜんちぜんのう》の
AI《エーアイ》に勝《か》ち、
人類《じんるい》を救《すく》えるか⁉

科学探偵《かがくたんてい》 vs.《ブイエス》
暴走《ぼうそう》するAI《エーアイ》
[前編《ぜんぺん》][後編《こうへん》]

5分《ふん》で読《よ》める
短編集《たんぺんしゅう》

町《まち》で、学校《がっこう》で、
次々《つぎつぎ》起《お》こる
怪奇事件《かいきじけん》の謎《なぞ》を解《と》く、
科学《かがく》トリック短編集《たんぺんしゅう》。

科学探偵《かがくたんてい》
怪奇事件《かいきじけん》ファイル
廃病院《はいびょういん》に舞《ま》う霊魂《れいこん》

2021年《ねん》
12月《がつ》
発売予定《はつばいよてい》！

科学《か》学《がく》探《たん》偵《てい》 謎《なぞ》野《の》真《しん》実《じつ》シリーズ

科学探偵《かがくたんてい》VS.《ブイエス》ミステリートレイン（仮《かり》）

「さあ、誰《だれ》も体験《たいけん》したことのない
すてきな謎《なぞ》の旅《たび》に出発《しゅっぱつ》しましょう」
真実《しんじつ》たちが参加《さんか》することになった、
賞金《しょうきん》1億円《おくえん》の謎解《なぞと》きツアー「ミステリートレイン」。
乗客《じょうきゃく》を待《ま》っていたのは、
恐《おそ》ろしいデスゲームだった——。

監修　金子丈夫（筑波大学附属中学校元副校長）、
〈ファイル6〉鶴岡市立加茂水族館（池田周平）
編集デスク　福井洋平、大宮耕一
編集　河西久実
校閲　宅美公美子、野口高峰（朝日新聞総合サービス）

本文図版　渡辺みやこ
コラム図版　佐藤まなか
本文写真　iStock、朝日新聞社
ブックデザイン/アートディレクション　辻中浩一＋吉田帆波（ウフ）

おもな参考文献
『新編 新しい理科』3～6（東京書籍）／『キッズペディア科学館』日本科学未来館、筑波大学附属小学校理科部監修（小学館）／『週刊かがくる 改訂版』1～50号（朝日新聞出版）／『週刊かがくるプラス 改訂版』1～50号（朝日新聞出版）／『なぜこう見える？ どうしてそう見える？ 錯視のひみつにせまる本 ①錯視の歴史』新井仁之監修、こどもくらぶ編（ミネルヴァ書房）／「ののちゃんのDO科学」朝日新聞社（https://www.asahi.com/shimbun/nie/tamate/）

科学探偵《かがくたんてい》 謎野真実《なぞのしんじつ》シリーズ

科学探偵《かがくたんてい》 怪奇事件《かいきじけん》ファイル　襲来《しゅうらい》！宇宙人《うちゅうじん》の謎《なぞ》

2021年8月30日　第1刷発行

著　者　作：佐東みどり　石川北二　木滝りま　田中智章　　絵：木々
発行者　橋田真琴
発行所　朝日新聞出版
〒104-8011
東京都中央区築地5-3-2
編集　生活・文化編集部
電話　03-5541-8833（編集）
03-5540-7793（販売）

印刷所・製本所　大日本印刷株式会社
ISBN978-4-02-331980-6
定価はカバーに表示してあります